# CiENCiA COTidiAna

## 66 experimentos para explicar las pequeñas y grandes cosas que nos rodean

parramon
CREATIVE CONTENTS

# Sumario

## Experimentos de geología

## Experimentos de física

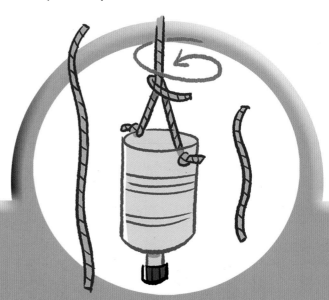

## Experimentos de química

## Experimentos de biología

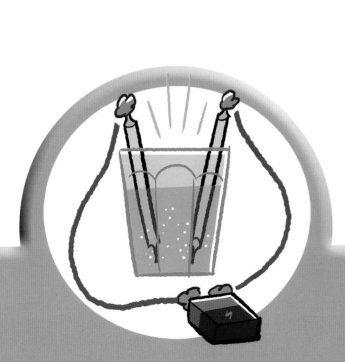

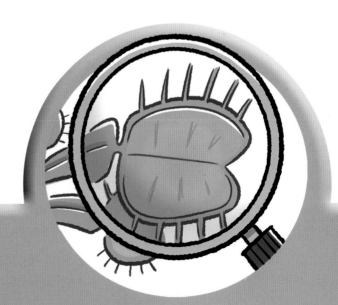

# Ciencia en la mochila

# ¡Mira dónde pisas!

## ¡Experimenta!

El suelo es la parte superficial de la corteza terrestre que se ha formado a partir de la desintegración o alteración física y química de las rocas y de los residuos de las actividades de seres vivos que se asientan sobre ella. Existen diferentes tipos de suelos, pero los ingredientes básicos son la materia orgánica descompuesta y fragmentos de roca de diferentes tamaños procedentes de la roca situada debajo o que han sido arrastrados y depositados procedentes de otros sitios más lejanos. El suelo no es uniforme en todo su espesor, sino que está formado por diferentes capas.

## ¿QUÉ NECESITAS?

- Pala
- Guantes de jardinería
- Cuaderno de campo
- Lápiz
- Rotulador permanente
- Lupa
- Cinta métrica o regla
- Bolsas de plástico o botes pequeños de cristal o plástico

¿Te animas a excavar y descubrir cómo es el suelo que pisas? En algunas zonas donde los suelos están muy desarrollados se pueden identificar hasta cinco capas u horizontes.

## 1

Localiza un lugar donde puedas excavar un agujero de unos 60 cm x 60 cm.

## 2

Empieza a excavar y fíjate en los cambios de color de la tierra conforme el agujero se hace más profundo. Cada color determina una capa; mide el tamaño de los diferentes horizontes y anótalo en tu cuaderno de campo.

## 3

Aparte del color, fíjate en los componentes de cada capa. Intenta identificar los diferentes horizontes y dibújalos en el cuaderno de campo. No en todos los suelos se pueden distinguir los cinco horizontes así que no te preocupes si te falta alguno.

# PIENSA COMO UN CIENTÍFICO

Las diferentes capas que has descrito tienen un nombre y unas características propias. Con la ayuda de esta breve información podrás identificarlas perfectamente.

_HORIZONTE O_. La parte superior consiste en hojas sueltas y otros restos orgánicos que todavía son reconocibles. La parte inferior está compuesta por materia orgánica parcialmente descompuesta en la cual ya no pueden identificarse las estructuras vegetales.

_HORIZONTE A_. Está compuesta por material mineral y materia orgánica. Es de color gris oscuro, más o menos negro, pero cuando contiene poca materia orgánica (suelos cultivados) puede ser claro.

_HORIZONTE B_. Es la capa donde se acumulan las arcillas y sustancias disueltas lavadas por las aguas infiltradas del horizonte A. Presenta colores pardos y rojos.

_HORIZONTE C_. Material original parcialmente descompuesto y fragmentado. Es blando, suelto y se puede cavar con una azada.

_ROCA MADRE (R)_. Material original. Capa compuesta por roca dura, coherente y, por tanto, difícil de cavar.

# Para seguir investigando

Puedes ampliar tu estudio del suelo identificando y anotando las características más evidentes de las muestras de los horizontes que has tomado al realizar tu perfil. Para ello separa, con ayuda de un pincel, los diferentes componentes y obsérvalos utilizando una lupa. Si quieres saber si tus muestras contienen minerales magnéticos, utiliza un imán. Emplea la tabla de granulometrías que te proporcionamos en la 36 para describir la medida y la forma de los materiales que vas encontrando.

# Una aguja en un pajar

Hay situaciones en las que es necesario buscar algo bajo el suelo en zonas muy amplias, por lo que realizando excavaciones sería una tarea imposible. Con el georadar, aparato que mediante la emisión y recepción de ondas electromagnéticas permite conocer las características del subsuelo, se pueden localizar depósitos, cuerpos, obuses, minas y granadas enterrados, armas escondidas… sin necesidad de excavar.

**4** Anota también si el material es arcilloso, arenoso o hay fragmentos de rocas. Indica igualmente la presencia de seres vivos o restos de ellos: gusanos, lombrices, caracoles, insectos, hongos, raíces, hojas muertas…

**5** Guarda una pequeña muestra de tierra de cada capa en una bolsa de plástico y examínala más tarde en tu casa con ayuda de una lupa. No te olvides de etiquetar las muestras con la letra del perfil al que pertenecen para poder identificarlas más tarde. Dibuja en limpio tu perfil.

# La máquina del tiempo

Si es de noche y estás en la montaña, lejos de las luces de la gran ciudad, podrás ver una gran cantidad de estrellas. ¡Basta con observarlas para ver cómo eran las cosas hace muchos años! Hay estrellas que se ven tal como eran hace millones de años, cuando la Tierra estaba llena de dinosaurios.

Si tienes entre 8 y 11 años, estás de suerte ¡Algunas estrellas se ven exactamente como eran el año en que tú naciste! ¿Quieres saber cuáles son?

## ¡Experimenta!

¿Estás preparado para viajar en el tiempo?

## ¿QUÉ NECESITAS?

- Lugar alejado de las luces de las grandes ciudades
- Noche sin Luna
- Ropa de abrigo
- Planisferio. Lo puedes buscar en Internet e imprimírtelo
- Brújula

### 1

Si tienes 8-9 años y estás en el hemisferio norte, busca la estrella Sirio. Sal una noche de enero, alrededor de las doce, y mira hacia el sur. Es la estrella más brillante del cielo. Estará sólo dos o tres palmos (con el brazo extendido) por encima del horizonte. La estás viendo tal como era hace 8 años y medio.

### 2

Si tienes 10-11 años, busca Sirio y luego extiende bien el brazo y sube dos palmos hacia arriba y uno a la izquierda: verás otra estrella muy brillante, Proción. La luz que ahora te llega a los ojos salió de la estrella hace diez años y medio, ¡cuando tú naciste!

### 3

Si vives en el hemisferio sur, podrás encontrar Sirio, por ejemplo, durante el mes de marzo entre las diez y las once de la noche, mirando hacia el oeste, cerca del horizonte.

# PIENSA COMO UN CIENTÍFICO

¿Por qué crees que las estrellas se ven tal y como eran hace mucho tiempo?

¿Todas las estrellas están a la misma distancia?

Todas las cosas las vemos porque nos llega su luz. Algunas, porque la reflejan, como este libro, o como la Luna y los planetas, que reflejan la luz del Sol. Otras, como las bombillas, el Sol o las demás estrellas, emiten su propia luz. Y esta luz tarda un tiempo en llegar hasta nosotros. La luz reflejada por este libro tarda una fracción de segundo insignificante, pero la del Sol tarda 8 minutos. Y la de la estrella más cercana, Alfa Centauri, ¡4 años! Eso significa que tú la ves tal y como era hace 4 años. Si tuvieras un telescopio muy potente y pudieras ver lo que hacen los habitantes de algún planeta cercano a Alfa Centauri, sería como tener una máquina del tiempo, los verías tal y como eran hace unos años, no como son ahora.

Cuanto más lejos está una estrella más tarda su luz en llegar a tus ojos. Por eso hay estrellas que están a 10 años-luz (eso significa que la luz salió de ellas hace 10 años), a 100 años-luz, e incluso a millones de años-luz.

## Para seguir investigando

Aprovecha una noche despejada y llena de estrellas para echar un vistazo al planisferio y reconocer las constelaciones más brillantes. Si estás en el hemisferio norte, busca la Osa Mayor, con forma de cucharón Orión, con tres estrellas alineadas en la parte central, o la estrella polar, que siempre indica dónde está el norte, como una brújula.

Si estás en el hemisferio sur, busca la Cruz del Sur, que apunta siempre hacia el Sur; la constelación de la Mosca; o la constelación del Centauro, donde está la estrella más cercana a la Tierra de todo el Universo: ¡Alfa Centauri!

### La galaxia más lejana

El astro más lejano que se ha podido observar con telescopio es la galaxia z8_GND_5296, situada nada menos que a 13.100 millones de años-luz de nosotros. Se descubrió en 2013 gracias al telescopio Keck I, en Hawái. La luz que llegó hasta el telescopio salió de la estrella hace 13.100 millones de años, cuando el Universo sólo tenía 700 millones de años. ¡La Tierra y el Sol no habían nacido todavía!

En el hemisferio sur, esa misma noche, Proción será la estrella más brillante a la derecha de Sirio, a sólo un par de palmos de distancia.

## Galaxias bebé

Los astrónomos aprovechan este efecto de máquina del tiempo para estudiar cómo eran las galaxias hace miles de millones de años, cuando el Universo acababa de nacer y todavía eran galaxias-bebé. De ese modo pueden investigar cómo era el Universo en esa época tan lejana, al poco de nacer. Esas galaxias están muy lejos, a miles de millones de años-luz de nosotros, por lo que tienen que utilizar telescopios muy grandes para observarlas.

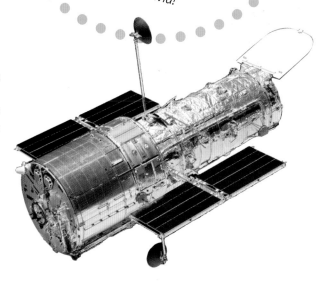

# El detective del pasado

Cuando vayas de excursión por la montaña observa bien las rocas a tu alrededor. Algunas son blancas y esconden un pasado sorprendente: son los restos del esqueleto de pequeñas conchas marinas y arrecifes de coral que ocupaban el fondo del océano hace millones de años. Pero no todas las rocas blancas tienen ese pasado tan espectacular. ¿Sabías que con un simple experimento puedes averiguar si la roca que estás pisando fue un bonito arrecife de coral?

## ¡Experimenta!

### ¿QUÉ NECESITAS?

- Piedras blancas, o de color claro, recogidas en diferentes lugares
- Vasos transparentes
- Vinagre blanco

¿Quieres convertirte en un auténtico detective del pasado?

**1** Mientras vas de excursión por la montaña busca zonas donde haya rocas de color blanco o de un color muy claro.

**2** Recoge una pequeña muestra de cada roca. Alguna pequeña piedra que te puedas llevar fácilmente.

**3** Una vez en casa, llena con vinagre blanco tantos vasos transparentes como piedras hayas recogido.

# PIENSA COMO UN CIENTÍFICO

¿Por qué salen esas burbujitas de la superficie de las piedras?

Estas rocas están hechas de carbonato cálcico, un compuesto químico que, cuando reacciona con un ácido, como el ácido acético del vinagre, desprende un gas: dióxido de carbono. Este gas lo puedes ver en forma de burbujitas que salen sin parar de la superficie de la piedra.

Estas rocas calcáreas o calizas están formadas por el aplastamiento de las conchas de miles y miles de pequeños animales que vivían en el fondo del mar hace millones de años en arrecifes de coral, cuando la zona por la que paseabas estaba bajo el agua.

## Para seguir investigando

Prueba a realizar el mismo experimento con otro ácido: el zumo de limón. Aunque el efecto suele ser más lento, también podrás observar las burbujitas de dióxido de carbono saliendo de las rocas que contienen carbonato cálcico.

### El bosque de Shilin

Algunas rocas calizas forman paisajes espectaculares a medida que el agua las disuelve con el paso de miles y miles de años. Seguro que tienes alguno cerca que valga la pena visitar. El bosque de piedra de Shilin, en China, ¡parece sacado de un cuento!

**4** Mete las piedras en los vasos y observa atentamente qué sucede.

**5** En algunos de los vasos verás aparecer pequeñas burbujitas sobre la superficie de las piedras. Si es así, ¡las rocas son los restos de esqueletos de animales que poblaban un océano prehistórico!

**6** En otros casos no verás ninguna burbujita. Probablemente se tratará de alguna arenisca: arena "fósil" de alguna playa prehistórica; o quizá granito, cuarcita o algún otro mineral.

GRANITO
CUARCITA
OTROS

# ¡Te pillé!

Para poder observar la gran diversidad de vida que hay en nuestros bosques durante la noche, te proponemos fabricar una trampa de luz que atraiga a los insectos nocturnos ¡Despliega la sábana y mantén los ojos bien abiertos!

## ¿QUÉ NECESITAS?

- Sábana blanca
- Linterna de luz blanca
- Cuerda para atar la sábana entre dos árboles
- Pinzas de tender
- Cámara fotográfica
- Guía de identificación de insectos

## ¡Experimenta!

¿Qué bichitos revolotean por la noche en nuestros bosques?

**1** Ata una cuerda a dos árboles de manera que quede paralela al suelo.

**2** Cuelga una sábana blanca en la cuerda y sujétala con pinzas, como si estuviera tendida. Puedes anclarla al suelo con unas piedras.

**3** Detrás de la sábana coloca un foco de luz blanca. Si no dispones de un punto de electricidad cercano, puedes utilizar una linterna potente.

# PIENSA COMO UN CIENTÍFICO

¿Por qué crees que los insectos se sienten atraídos por la luz?

¿Qué tipo de trampa piensas que se podría utilizar de día?

Algunos insectos se sienten atraídos por la luz natural ya que de esta manera consiguen pautar su comportamiento. La luz de la Luna sirve a estos insectos como punto de referencia para orientarse por la noche. La fototaxia es el fenómeno que explica por qué algunos insectos se sienten atraídos por la luz y otros no. Hay insectos, como las cucarachas, que tienen fototaxia negativa, ya que huyen de la luz. En cambio otros, como las moscas, tienen fototaxia positiva, ya que se sienten atraídos hacia ella.

Los insectos diurnos no utilizan la luz como punto de referencia, sino que utilizan los olores para orientarse. De hecho, para comunicarse entre ellos utilizan feromonas, unas sustancias químicas que segregan al aire para atraer al sexo contrario. Existen métodos de control de plagas basados en estas feromonas, que no son perjudiciales para las plantas ni para los otros insectos.

## Para seguir investigando

Las feromonas son una especie de hormonas sexuales que las mariposas expulsan al exterior para comunicarse entre sí. A pesar de que se segregan en cantidades ínfimas se ha comprobado que algunas especies, como el gran pavón, las pueden detectar a 20 kilómetros de distancia. Las feromonas se detectan a través de las antenas de estos insectos, razón que explica su compleja estructura.

## Fototaxia mortal

No todos los animales ven los mismos tipos de luz que nosotros. Las personas, por ejemplo, no podemos ver la luz ultravioleta (o luz negra) ni la radiaciones infrarrojas, pero hay animales que sí las pueden ver. Muchos insectos son atraídos por las radiaciones ultravioletas y, por esta razón, se fabrican lámparas de luz ultravioleta rodeadas por una parrilla eléctrica que mata a insectos perjudiciales o molestos como las moscas y los mosquitos, cuando se acercan a la lámpara atraídos por su irresistible luz.

**4**

Cuando se ponga el Sol, ¡prepárate para recibir a los visitantes! La trampa de luz no perturba la vida de los insectos. Te recomendamos fotografiar todas las especies distintas que se paren en la sábana para su posterior identificación.

## Insectos viajeros

Cada vez es más habitual encontrar especies de otros países en nuestro entorno. Los insectos que por sí mismos no lograrían recorrer tantos kilómetros, consiguen traspasar fronteras viajando junto a las mercancías que transportan aviones o barcos. Por ejemplo, el mosquito tigre que es originario del sureste asiático, se está extendiendo por otros continentes debido a la actividad humana. Esta especie de mosquito es mucho más agresiva que el mosquito común ya que pica durante todo el día y sus picaduras son mucho más dolorosas.

Otro ejemplo notable podría ser el picudo rojo o gorgojo de las palmeras que es originario de Asia tropical y que, por acción del hombre, se ha extendido por África, América y Europa donde está destruyendo diversas especies de palmeras tanto autóctonas como ornamentales.

# Protección total

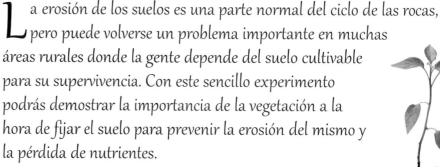

La erosión de los suelos es una parte normal del ciclo de las rocas, pero puede volverse un problema importante en muchas áreas rurales donde la gente depende del suelo cultivable para su supervivencia. Con este sencillo experimento podrás demostrar la importancia de la vegetación a la hora de fijar el suelo para prevenir la erosión del mismo y la pérdida de nutrientes.

## ¿QUÉ NECESITAS?

- 2 bandejas poco profundas (por ejemplo de 30cm x 15cm)
- Suelo para llenar hasta la mitad cada bandeja
- Pan de césped (cuadrado de hierba con la tierra o semillas de rápido crecimiento)
- 2 trozos de madera que encajen en el ancho de las bandejas
- 2 apoyos, por ejemplo bloques de madera o piedras
- 1 pala de corte de jardinería, en caso de querer extraer un cuadrado de hierba del suelo
- Agua
- Regadera o recipiente con agujeros en la base

## ¡Experimenta!

Sigue estos pasos y podrás investigar el efecto de la cobertura vegetal en la protección del suelo frente a la erosión por las lluvias fuertes.

**1** Prepara dos bandejas idénticas, que descansen sobre apoyos, de modo que su inclinación sea la misma.

**2** Llena cada bandeja hasta la mitad con el mismo tipo de suelo, evitando que éste se deslice hacia abajo poniendo un listón de madera si fuera necesario.

**3** Cubre el suelo de una de las bandejas con una delgada capa de césped (puedes recoger del suelo, con ayuda de una pala de jardinería, un cuadrado de hierba con la tierra o bien usar un pan de césped de los que se venden comercialmente), pero deja expuesto (sin vegetación) el suelo de la otra bandeja.

# PIENSA COMO UN CIENTÍFICO

¿En qué bandeja es más fangosa el agua que se acumula en el espacio inferior? ¿De dónde procede este fango? En la bandeja con hierba el agua fluye a través de la vegetación del suelo, saliendo luego casi intacta, cristalina y sin arrastrar sedimentos ni nutrientes. En la bandeja sin vegetación el agua sale turbia porque arrastra consigo tierra con nutrientes, causando una fuerte erosión al suelo. El resultado es un suelo estéril y erosionado.

La vegetación tiene el importante efecto de proteger el suelo del impacto directo de las gotas, amainando el flujo de agua sobre la superficie y a su vez da cohesión al suelo con sus raíces, resistiendo así la erosión.

## Para seguir investigando

En zonas de fuerte viento y poca vegetación la erosión eólica puede levantar las partículas y degradar la calidad del suelo y la producción de las tierras agrícolas. Puedes comprobar este efecto llevándote a tu casa las muestras de suelo, ponerlas en una bandeja y colocarlas ante un ventilador durante un período determinado de tiempo. Asegúrate antes de realizar la experiencia que las muestras de suelo están secas, ya que si están húmedas el agua retendrá las partículas de tierra y no podrás observar el efecto del aire sobre ellas. ¿En qué bandeja la erosión del viento ha sido menor?

## Protección de paja

Después de unos terribles incendios que tuvieron lugar en el verano de 2013 en Galicia (España) los técnicos e investigadores aplicaron un tratamiento a base de tirar, mediante helicópteros, paja de trigo para proteger los suelos sin cubierta vegetal y evitar así la erosión y las riadas. Esta técnica se conoce como "air mulching".

Pasadas un par de semanas, rocía con agua el suelo en ambas bandejas utilizando una regadera (o cualquier recipiente agujereado) hasta que empiece a acumularse el agua en la parte inferior. Observa el color del agua que se recoge.

## Una palabra extraña: cárcava

Las cárcavas son unos surcos profundos y anchos producidos por la acción de las aguas procedentes de lluvias torrenciales sobre rocas muy erosionables (principalmente arenas y arcillas) en zonas con poca o nula cubierta de vegetación. Es un paisaje típico de zonas semidesérticas como Texas, Nuevo México o Arizona, así que seguro que las has visto en paisajes que aparecen en películas del género "Western".

# ¡Me derrito de frío!

¡**S**eguro que lo sabes! El calor derrite y el frío congela. Si enfrías mucho el agua líquida, por debajo de cero grados, se vuelve sólida y se convierte en hielo. Pero... ¿sabías que puedes derretir el hielo y la nieve por debajo de cero grados?

## ¿QUÉ NECESITAS?

- Vaso
- Hielo machacado o escarcha del congelador
- Sal
- Termómetro que llegue a marcar por debajo de los 0 ºC

## ¡Experimenta!

¿Quieres ver cómo es posible "derretirse de frío"?

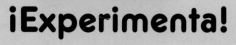

**1**
Llena un vaso con nieve o hielo machacado. Puedes conseguir nieve en tu propia casa rascando con una cuchara de plástico o madera la escarcha que se forma en las paredes del congelador.

**2**
Introduce un termómetro en el vaso para que esté en contacto con el hielo. Espera unos minutos y anota cuidadosamente la temperatura. Necesitarás un termómetro que pueda llegar a menos de 0 ºC.

**3**

Quita el termómetro, añade cuatro o cinco cucharadas de sal a el hielo y remueve un poco.

# PIENSA COMO UN CIENTÍFICO

¿Qué ocurre cuando añades sal al hielo machacado o a la nieve? ¿Por qué baja su temperatura si en realidad se ha derretido? La nieve y el hielo no son más que agua que, al enfriarse por debajo de los 0 ºC, pasan del estado líquido al sólido. Al echar sal y remover, la sal se disuelve en el agua líquida que cubre los trocitos de hielo. El agua se convierte así en una disolución de agua salada, como el agua del mar, y sus propiedades cambian. Como habrás comprobado cuando has tragado sin querer algo de agua en la playa... ¡su sabor ya no tiene nada que ver! Pero no sólo cambia el sabor sino que también cambia la temperatura a la que se convierte en hielo sólido. Ya no es de 0 ºC sino que está por debajo. A medida que aumentas la cantidad de sal la temperatura a la que el agua se convierte en hielo es cada vez menor, por lo que parte del hielo se derrite, ¡aunque el termómetro baje de temperatura!

## Para seguir investigando

Recoge varios vasos de hielo y repite el experimento con diferentes cantidades de sal, añadiéndola hasta que se deshaga todo el hielo. Puedes intentarvolver a congelarlos en el congelador de tu casa. En algunos vasos el aguase congelará pero, si un vaso tiene suficiente sal, ¡quizá te sea imposible volverlo a congelar!

## ¡Sal, hielo, sal!

En los lugares donde hace mucho frío y nieva, se echa sal sobre el asfalto para que la nieve no se congele y no se convierta en hielo. Se puede ver en las carreteras como un polvillo que parece nieve o hielo picado, pero un poco más oscuro. Así se evita que los coches patinen sobre el hielo y se produzcan accidentes.

**Vuelve a introducir el termómetro y espera unos minutos. Mide la temperatura y observa lo que sucede con la nieve.**

## Cubitos de helio... ¿de hielo?... ¡no, de helio!

El elemento químico que tiene el punto de congelación más bajo del mundo (que se congela a más baja temperatura) es el helio... ¡el gas con el que se inflan esos globos que flotan en el aire! Para conseguir un "cubito" de helio habría que enfriarlo a 272 ºC bajo cero, ¡pero no hay ningún lugar tan frío en todo el Universo!

# El tesoro escondido

¿Alguna vez has sentido la emoción de encontrar un tesoro enterrado? Aprovecha este experimento para preparar una buena broma cuando vayas de excusión: ¡vas a desenterrar un tesoro escondido! Busca una lata metálica que tengas por casa, cuanto más vieja sea mejor, y llénala de monedas viejísimas, de la época de los piratas. ¿Sabes cómo conseguirlas?

## ¿QUÉ NECESITAS?

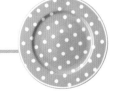

- Caja vieja, si es metálica mejor (muchas cajas de galletas son metálicas)
- Monedas de varios tamaños
- Papel de cocina
- Vinagre
- Plato

## ¡Experimenta!

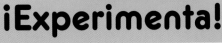

¿Quieres envejecer monedas para que parezca que tienen cientos de años?

**1** Reúne un buen puñado de monedas de cobre de varios tamaños. Por ejemplo, de 1, 2 y 5 céntimos de euro.

**2** Empapa el centro de un trozo de papel de cocina con un poco de vinagre. Échalo poco a poco y deja que se extienda.

**3** Pon el papel en un plato y extiende las monedas sobre él, de manera que quede espacio entre ellas.

# PIENSA COMO UN CIENTÍFICO

¿Por qué envejecen tan rápido las monedas?

Muchos metales, en contacto con el aire, se oxidan poco a poco.

Al cabo de los años pierden brillo y quedan cubiertos de una capa de óxido de color verde. Si se trata de monedas de 1, 2 y 5 céntimos de euro, el metal que se oxida es el cobre. Reacciona con el oxígeno y con la humedad del aire formando esa capa verde: carbonato de cobre. Si el cobre está en contacto con el ácido acético del vinagre la reacción se acelera y ¡el carbonato de cobre aparece en sólo unas horas!

## Para seguir investigando

Puedes realizar un experimento similar con el efecto contrario: limpiar las monedas viejas. Disuelve diez cucharadas de sal en un vaso con vinagre y mete la moneda. Al cabo de uno o dos días la moneda estará como nueva. Como el aire no puede llegar a la moneda, el vinagre reacciona con el óxido y limpia la moneda. La sal acelera la reacción.

### Becker, el falsificador de monedas

En el siglo XIX un gran estafador alemán llamado Carl Wihelm Becker se dedicó a fabricar monedas falsas que luego envejecía de manera parecida a como tú lo has hecho en este experimento. ¡Aún hoy los coleccionistas de monedas antiguas confunden sus monedas con las de verdad!

**4** Espera 4 horas y observa las monedas: se habrán convertido en monedas viejas cubiertas de un óxido verde.

**5** Guarda las monedas envejecidas en una vieja caja metálica de galletas y llévatela de excursión. ¡Recuerda lavarte las manos siempre después de tocarlas!

**6** Entiérrala con tus amigos en algún lugar escondido y luego la desenterráis en presencia de los demás: ¡todos creerán que habéis encontrado un tesoro antiguo!

# Lluvia de esporas

Te proponemos un experimento para conocer mejor las esporas de los hongos en general y de las setas en particular. ¿Sabías que podemos llegar a clasificar las setas observando el dibujo que dejan sus esporas al caer al suelo? Existe una técnica que nos permitirá hacerlo. ¿Te animas a probar?

## ¡Experimenta!

## ¿QUÉ NECESITAS?

- Setas frescas de diferentes especies
- Cartulinas blancas

¿Quieres aprender a hacer una esporada?

**1**

Enumera las cartulinas y asigna cada número a una especie diferente de seta para no confundirte.

**2**

Corta el pie de la seta y deja el sombrero en su posición natural, con las láminas dirigidas hacia abajo.

**3**

Deja la seta en esta posición durante toda la noche en una habitación y al día siguiente levanta el sombrero y observa el dibujo que han dejado las esporas. En todo el proceso evita las corrientes de aire que arrastrarían las esporas.

# PIENSA COMO UN CIENTÍFICO

¿Cómo se puede utilizar la técnica de la esporada para clasificar los hongos?¿Cómo se dispersan las esporas?¿Para qué sirven las esporas?

La esporada, o impresión de esporas, es la mancha formada por el conjunto de esporas que caen desde las láminas a una superficie en una seta madura. La esporada es importante para identificar la seta, debido a que su color varía con cada especie. De hecho, la clasificación tradicional de muchos grupos de hongos se ha basado en el color de las esporas. En la actualidad, sin embargo, se utilizan nuevas técnicas más sofisticadas y fiables.

Los hongos son organismos inmóviles y por lo tanto necesitan agentes externos para dispersar las esporas. El agente más habitual es el viento. Los hongos subterráneos, como las trufas, necesitan otros agentes, como los jabalís, que las desentierran para comérselas permitiendo así la dispersión de sus esporas. Otras especies desprenden un fuerte olor a carne podrida para atraer a las moscas, que son sus agentes dispersantes.

La función de las esporas es reproductora y se encuentran presentes en los musgos y los helechos además de los hongos.

## Para seguir investigando

El reino de los hongos incluye una enorme variedad de especies, unas útiles y otras mortales. Si buscas información encontrarás especies mortales, como la falsa oronja *(Amanita phalloides)*, o especies muy apreciadas en gastronomía, como las trufas *(Tuber sp.)*. También puedes investigar sobre especies productoras de antibióticos (como la penicilina) o especies utilizadas por la industria alimentaria (como las levaduras). Por último, podrías indagar sobre su papel fundamental como descomponedores en el ciclo de la materia orgánica.

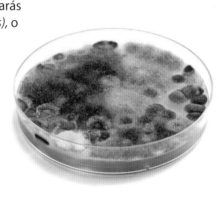

## ¿Las setas se pueden cultivar?

Cada seta puede producir entre siete y ocho millones de esporas, pero aunque parezca que nos lo ponen fácil, el ser humano sólo ha conseguido controlar el cultivo de unas pocas especies de setas. Es muy difícil reproducir el mecanismo por el que un hongo se establece y consigue fructificar en forma de seta. Y es que la mayoría de hongos necesitan establecer una relación íntima con las raíces de las plantas, lo que se denomina micorriza. Las micorrizas son relaciones de tipo mutualismo o simbiosis, en la que se produce un "intercambio de favores" y los dos organismos que intervienen obtienen algún beneficio.

Gracias a los avances científicos, en la actualidad ya se pueden cultivar diferentes especies de setas comestibles como el champiñón, la seta de cardo, el shiitake o la apreciadísima trufa.

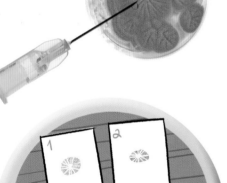

Compara el color de las distintas esporadas y comprueba si esta técnica es útil para clasificar las setas.

# Suelos con ritmo

¿Adónde va el agua de lluvia? Puede fluir hacia arroyos y ríos, alcantarillas, formar charcos, o la puede absorber el suelo. Aunque las rocas, la arena y el suelo son sólidos, existen espacios entre los granos de material llamados poros por los que el agua puede fluir. Esta porosidad depende del tipo de roca o de suelo, por lo que el agua que se infiltra en la tierra lo hace con distintos ritmos en función del material presente.

## ¿QUÉ NECESITAS?

- Lata de 1,5 l o más, sin tapa ni base (lata de conservas, pintura, barniz, etc.)
- Martillo
- Tabla de madera
- Regla
- Cubo, frasco o botella para colocar de 1 a 2 l de agua
- Reloj
- Trozo de 10 cm de cinta adhesiva o cinta aislante
- Lápiz y papel para anotar tus observaciones y los resultados

## ¡Experimenta!

¿Quieres saber cómo se hace un ensayo de permeabilidad de un suelo?

**1** Coloca la lata en el suelo y pon la tabla de madera encima. Golpea la madera con el martillo para que la lata se hunda unos 5 cm en el suelo.

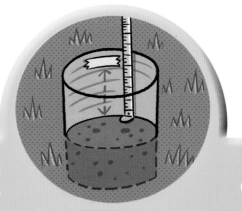

**2** Coloca un trozo de cinta adhesiva en la parte interna de la lata, cerca de la parte de arriba, de modo que quede paralela al borde superior. Ahora mide la distancia que hay desde la parte inferior de la cinta hasta el suelo y anótala.

**3** Vierte agua dentro de la lata hasta que llegue al borde inferior de la cinta que está en el interior del recipiente. Registra el tiempo. A medida que el agua penetra en el suelo, el nivel de agua descenderá.

# PIENSA COMO UN CIENTÍFICO

¿Por qué crees que algunos suelos dejan pasar el agua con mayor facilidad que otros? Los suelos con granos mayores y con muchos huecos son los que dejan pasar el agua más rápidamente. Aquéllos con granos más pequeños y pocos espacios son de flujo más lento, ya que el agua no atraviesa fácilmente esos pasos delgados. ¿La velocidad de absorción de agua ha sido igual en todo momento? Habrás observado que al principio el suelo absorbe el agua más rápidamente. Al cabo de un tiempo el suelo se satura y no puede absorber más agua, de manera que queda estancada en la superficie.

## Un barro muy útil

Los suelos de barro o arcillosos se han utilizado desde la antigüedad para fabricar utensilios y figuras. Los primeros objetos se remontan al Paleolítico Superior y se trata de pequeñas representaciones de divinidades maternales y de culto a la fertilidad, como la llamada Venus de Dolní Věstonice datada cerca de 29 000 - 25 000 a.C.

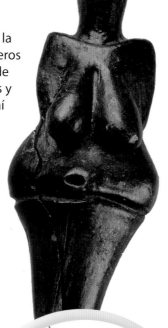

### Suelos de cine

Los suelos también son protagonistas de películas. El más conocido es el formado por arenas movedizas. Éstas no están hechas de arena, sino que es una mezcla de limos (lodo) totalmente saturada de agua. Es físicamente imposible que una persona que se hunde en arenas movedizas sea engullida del todo. El verdadero peligro está en no poder salir de ellas y morir de hambre, calor o agotamiento, o ahogado en el agua al subir una marea cercana.

$$\frac{X}{60}$$ $$\frac{X}{30}$$

**4** Determina cuántos cm de agua penetran en el suelo midiendo con una regla la distancia que hay entre la marca de la altura al comenzar y la superficie del agua a los 30 y a los 60 min después de verter el agua en la lata por primera vez. Anótalo en tu libreta.

**5** Si el agua es absorbida durante el curso del experimento, llena la lata nuevamente hasta la marca de la cinta. Las mediciones que hagas a partir de este momento deberán anotarse como la distancia total desde el suelo hasta la cinta más la distancia que hay desde el nivel del agua hasta la cinta.

**6** Divide la cantidad de agua absorbida en una hora por 60 para obtener la permeabilidad en cm/min en una hora. Después divide la cantidad de agua absorbida en 30 min por 30 para obtener la permeabilidad en cm/min para la primera media hora. ¿Es la misma velocidad que para una hora completa?

# A vista de murciélago

¿**H**as entrado alguna vez a una cueva oscura? Fíjate en el techo de la cueva, ¡está lleno de murciélagos! Quizá ya sepas una cosa muy curiosa de estos animales: vuelan, pero no son pájaros, son mamíferos como tú. Las crías beben la leche de las mamás murciélago. Pero hay algo todavía más curioso. ¿Los has visto volar? ¿A que nunca dirías que son ciegos? Van a toda velocidad, pero ven con sus oídos y calculan la distancia a las paredes con una especie de radar, gracias al eco.

## ¿QUÉ NECESITAS?

- Montaña cercana que produzca eco
- Cronómetro
- Amigo

## ¡Experimenta!

¿Quieres averiguar cómo ven los murciélagos? Vas a calcular la distancia hasta una pared utilizando el eco del sonido, como ellos.

**1** Cuando vayas de excursión, busca un lugar con eco. Se produce cuando hay alguna gran montaña sin muchos árboles cerca, de manera que el sonido de tu voz puede reflejarse en ella y volver.

**2** Da una palmada y escucha atentamente el eco de la palmada. Dí "uno" cuando des tu palmada y "dos" cuando oigas el eco. Practícalo hasta que suene "dos" justo cuando suene también el eco.

**3** Ahora, además de decir "dos", da una palmada justo cuando oigas el eco. Después de esta segunda palmada volverás a oír un eco. Como una tercera palmada. Cuando la oigas, di tres y da una nueva palmada.

# PIENSA COMO UN CIENTÍFICO

¿Cómo es posible calcular la distancia a la montaña contando palmadas?

Cuando das una palmada, tus manos sacuden el aire muy rápidamente creando una onda de sonido, similar a la onda que se produce en la superficie del agua cuando lanzas una piedra. En el aire, las ondas de sonido viajan siempre a la misma velocidad y en un segundo recorren 340 metros. Si fueras capaz de calcular los segundos que pasan desde que das la palmada hasta que oyes el eco, podrías calcular la distancia a la montaña. Bastaría multiplicar los segundos por 340 y dividir el resultado entre 2, porque en ese tiempo el sonido ha ido y ha vuelto.

¡Pues con este experimento lo has conseguido! Imagina que has contado 120 palmadas en 60 segundos (un minuto). Si divides los 60 segundos entre las 120 palmadas, a cada palmada le tocan 0,5 segundos y ese es el tiempo que pasa entre palmada y palmada, o entre una palmada y su eco. Si ahora multiplicas ese tiempo por 340 obtienes el camino recorrido por el sonido de ida y vuelta, o sea, dos veces la distancia a la montaña. Fíjate que las operaciones que has hecho para calcular la distancia son 60 por 340 dividido entre 2, o sea, 10.200, y este número dividido por el número de palmadas.

## Radares y murciélagos

Con este experimento has aprendido el funcionamiento del radar, un aparato que sirve para detectar objetos utilizando ondas de sonido. El radar emite un sonido y calcula la distancia igual que tú, midiendo el tiempo que tarda en llegar el eco. Así pueden detectar, por ejemplo, aviones a mucha distancia, submarinos bajo el mar o nubes cargadas de agua. Y ahora viene lo más sorprendente: ¡así es como ven los murciélagos! Sus cerebros crean imágenes de los objetos que tienen alrededor calculando el tiempo que tarda el sonido en ir y volver.

## Para seguir investigando

Si estás de excursión y oyes truenos a lo lejos puedes utilizar el mismo principio para calcular la distancia a la que se encuentra la tormenta. Fíjate que los truenos vienen siempre precedidos de unos destellos de luz en el cielo: los relámpagos. Como la luz viaja rapidísimo (es capaz de dar siete vueltas al mundo en menos de un segundo) verás el relámpago en el mismo instante en que sucede. Cuenta los segundos que tardas en oír el trueno y multiplícalo por 340. El resultado será la distancia, en metros, a la que está la tormenta.

**4** Continúa dando palmadas y contando, "uno", "dos", "tres", "cuatro", haciendo coincidir los números y las nuevas palmadas con el eco de las anteriores. Practica esto hasta que cojas bien el ritmo y coincidan las palmadas y los ecos.

**5** Dile a algún amigo que te cronometre durante un minuto y cuenta las palmadas.

**6** Divide 10.200 entre el número de palmadas que has dado en 1 min. ¡Esa será la distancia en metros a la que está la montaña!

# Estalactitas saladas

¿**H**as ido a visitar una de esas cuevas que tienen estalactitas y estalagmitas? ¿Sabías que tardaron miles de años en formarse? Haz un dibujo y fíjate bien en la forma que tienen, porque con este sencillo experimento ¡vas a crearlas tú mismo en una semana!

## ¿QUÉ NECESITAS?

- Plato pequeño, como los de las tazas de café
- Dos vasos
- Agua
- Sal
- Hilo de algodón

## ¡Experimenta!

¿Estás preparado para crear estalactitas de sal?

**1**

Llena dos vasos por la mitad con agua caliente. Puedes calentarlos en el microondas durante no más de un minuto.

**2**

Añade seis cucharadas de sal a cada uno de ellos y remueve bien hasta que quede sólo un poco de sal en el fondo que no puedas disolver.

**3**

Añade agua caliente a los vasos y remueve un poco más hasta que la sal se haya disuelto.

# PIENSA COMO UN CIENTÍFICO

¿Cómo se han formado las estalactitas?

Observa atentamente con una lupa la sal de la cocina. Está formada por pequeños cristales. Cuando el agua de los vasos se evapora al cabo de unos días, la sal vuelve a su estado sólido y también cristaliza. Pero no sólo lo hace en los vasos. Como el hilo ha estado en contacto con el agua salada, ésta ha subido por el hilo, empapándolo, hasta llegar a la parte que cuelga entre los vasos. Ahí ha ido cayendo gota a gota hacia el plato. Cada gota que caía al plato, al evaporarse, ha creado su pequeño cristalito de sal, formando poco a poco la estalagmita. Como las gotas se rompen al caer, a veces es difícil formar la estalagmita… pero mientras colgaban del hilo también iban dejando pequeños cristales de sal construyendo una columna cada vez más larga: la estalactita.
¡Compara el resultado con el dibujo que hiciste en la cueva!

## Para seguir investigando

También puedes obtener cristales espectaculares dejando evaporar otras sustancias, como las aspirinas. Para ello, introduce diez aspirinas en un bote de cristal con agua, tápalo con un trapo y deja que el agua se evapore. Ten paciencia porque tendrás que esperar varios meses… pero ¡los cristales que se forman son increíbles y el resultado es espectacular!

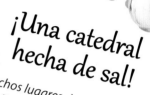

### ¡Una catedral hecha de sal!

En muchos lugares del mundo hay minas de sal. En ellas, la sal de antiguos mares cristalizó durante millones de años y ahora se extrae para fabricar la sal de mesa con la que rellenas tu salero. Pero algunas minas son muy especiales. En la mina de Wieliczka, cerca de la ciudad de Cracovia, en Polonia, los mineros se dedicaron a hacer bellas esculturas ¡e incluso excavaron una catedral entera! También en Colombia, en las salinas de Zipaquirá, cerca de Bogotá, hay una espectacular catedral de sal subterranea.

**4** Corta un hilo de algodón de un palmo de longitud y átale los extremos a dos clips.

**5** Introduce cada extremo en uno de los vasos de manera que el clip se hunda en el fondo, y deja el centro del hilo colgando entre los vasos, sobre un platillo de café.

**6** Espera una semana a que se evapore el agua de los vasos. Si es verano se evaporará más rápidamente. ¡Se habrá formado una estalactita colgando del hilo y, con suerte, quizá también una estalagmita sobre el platillo!

# Carrera de colores

La mayoría de hojas y flores son de un color concreto, pero cuando mueren cambian de color. ¿Te has preguntado por qué ocurre esto? ¿Los nuevos colores estaban ahí o han desaparecido unos y aparecido otros? ¡Averígualo por ti mismo!

## ¿QUÉ NECESITAS?

- Hojas de color verde intenso que encuentres en el campo
- Un par de cucharadas de arena limpia (puedes utilizar arena de playa lavándola repetidas veces hasta eliminar la arcilla)
- Mortero y mano de mortero
- Cuentagotas
- Disolvente casero, como acetona o alcohol de 96°
- Tira de papel absorbente limpio (tipo filtro de café)

## ¡Experimenta!

¿Quieres aprender a separar los diferentes pigmentos que se encuentran en las hojas o las flores?

**1** Toma una muestra de hojas verdes. Introdúcelas en un mortero con un poco de arena y una o dos cucharadas de disolvente (acetona o alcohol).

**2** Machaca la muestra con una mano de mortero y pasa la papilla resultante por un colador fino. El jugo obtenido debe estar bastante concentrado.

**3** Toma un filtro de café y recorta una tira rectangular de unos 4 cm de ancho y de una altura 2 cm superior a la altura de un vaso. Deposita una gota del jugo anterior a unos 3 cm de la base y deja pasar unos minutos para que se evapore el exceso de disolvente.

# PIENSA COMO UN CIENTÍFICO

¿A qué corresponden las diferentes franjas de colores que aparecen en el papel de filtro?

¿Cuál es el motivo de que aparezcan separadas?

Si las hojas eran verdes, ¿cómo es que ahora aparecen pigmentos amarillos y anaranjados?

Las franjas de colores anaranjado, amarillo y verde corresponden a los principales pigmentos que se encuentran en las hojas (carotenos, xantofilas y clorofilas).

Los pigmentos aparecen separados porque se mueven a distinta velocidad.

Los pigmentos amarillos y anaranjados, aunque están presentes en las hojas, no son visibles porque la clorofila los enmascara. Cuando las hojas mueren la clorofila se destruye de inmediato mientras que los demás pigmentos se mantienen durante mucho más tiempo.

## Para seguir investigando

Siguiendo el mismo procedimiento puedes separar los diferentes pigmentos que utilizan las flores para destacar del entorno. Para ello puedes utilizar una mezcla de flores silvestres de colores variados.

También puedes mezclar tintas de distintos colores y separarlas después por cromatografía.

## Un detective insuperable

En 1989 y en Estados Unidos, se condenó a una madre por envenenar a su bebé con anticongelante. Sin embargo, un segundo análisis, realizado con un tipo de cromatografía de precisión, descubrió que la sustancia que había provocado la muerte de su hijo no era anticongelante sino que era una molécula que producía el propio bebé a consecuencia de una rara mutación genética. Gracias a la cromatografía se reconoció la inocencia de la madre y ésta fue puesta en libertad de inmediato.

**4**

Añade un poco de acetona o alcohol en un vaso hasta una altura no superior a 2 cm. Coloca la tira de papel de filtro con la mancha de pigmento en el interior del vaso sin que ésta toque el disolvente. Espera a que el disolvente ascienda por el papel hasta que alcance la parte superior del mismo.

## La cromatografía

Es una técnica que permite a los científicos separar sustancias "delicadas" sin alterarlas. Existen diferentes tipos de cromatografía: la de papel (la que tú has experimentado), la de capa fina, la de líquidos o la de gases, aunque las dos últimas necesitan aparatos muy complejos y caros.

La cromatografía no sólo es útil para los científicos, sino que es una de las principales técnicas de investigación en criminología.

# Suelos espumosos

La materia orgánica que encontramos en el suelo procede tanto de la descomposición de los seres vivos que mueren sobre ella, como de la actividad biológica de los organismos vivos que contiene: lombrices, insectos de todo tipo, microorganismos, etc. La descomposición de estos restos y residuos metabólicos da origen a lo que se denomina humus.

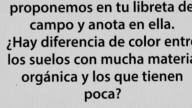

## ¿QUÉ NECESITAS?

- Pala pequeña de jardinería (trasplantador)
- 2 muestras de suelo diferentes (uno con mucho humus y otro con poco)
- Vaso de plástico o de cristal
- Agua oxigenada

## ¡Experimenta!

¿Te apetece aprender a determinar la presencia de materia orgánica en el suelo?

Ninguna: si no hay efervescencia (no contiene materia orgánica).
Ligera: si observas una leve efervescencia (hay presencia pero en pequeñas cantidades).
Fuerte: si observas una efervescencia fuerte (contiene gran cantidad de materia orgánica).

**1** Antes de realizar el experimento, observa las muestras y anota la presencia de pequeñas raíces y otra materia orgánica de gran tamaño, como hojas, caracoles, lombrices, insectos... Retira todos estos elementos y continúa.

**2** Pon las muestras de suelo en un vaso y añádeles agua oxigenada. Si salen burbujas, esto nos indica la presencia de materia orgánica. En los suelos muy orgánicos es necesario tener especial cuidado en añadir poco a poco el agua oxigenada, ya que la reacción es bastante violenta.

**3** Haz una tabla como la que te proponemos en tu libreta de campo y anota en ella. ¿Hay diferencia de color entre los suelos con mucha materia orgánica y los que tienen poca?

# PIENSA COMO UN CIENTÍFICO

¿Por qué la presencia de materia orgánica en un suelo produce efervescencia en contacto con el agua oxigenada?

Para demostrar la existencia de materia orgánica en un suelo se utiliza el agua oxigenada (H2O2), que al reaccionar con la materia orgánica se descompone en agua normal y libera oxígeno. El desprendimiento de gases es tanto mayor cuanta más materia orgánica exista en la muestra.

## Para seguir investigando

Puedes utilizar un procedimiento similar al explicado aquí para determinar el contenido en carbonato de calcio del suelo. Para ello pide a un adulto que te prepare una disolución en agua de ácido clorhídrico (agua fuerte o salfumán) al 20%. Añade unas gotas de ácido a la muestra de suelo y si se produce efervescencia indica presencia de carbonatos. Cuanto más intensa sea la efervescencia mayor contenido en carbonatos tendrá el suelo.

## Un suelo que arde

Las turberas son zonas donde se acumula gran cantidad de materia orgánica (principalmente hierbas y hojas) que, debido al clima frío y húmedo y a la baja presencia de oxígeno, sólo se descompone parcialmente. Gracias a su alto contenido en carbono, su explotación en zonas pantanosas y generalmente pobres ha permitido reemplazar la madera como combustible para hacer fuego.

## El alimento de los suelos

La presencia de materia orgánica en el suelo es esencial para la fertilidad y la buena producción de las tierras de cultivo. Los suelos sin materia orgánica son suelos pobres y de características físicas inadecuadas para el crecimiento de las plantas. Debido al cultivo intensivo de las tierras, algunos nutrientes químicos se consumen muy fácilmente y es necesario reponerlos mediante la aplicación de abonos o fertilizantes orgánicos como el estiércol, el guano, la gallinaza o el compost.

Puedes realizar este experimento con diferentes tipos de suelos y compararlos en la tabla.

# Adivina qué tiempo hará mañana

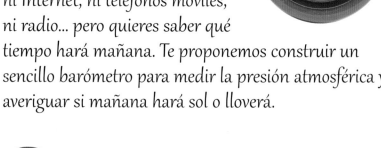

Estás unos días en el campo con tus amigos, no hay tele, ni Internet, ni teléfonos móviles, ni radio... pero quieres saber qué tiempo hará mañana. Te proponemos construir un sencillo barómetro para medir la presión atmosférica y averiguar si mañana hará sol o lloverá.

## ¿QUÉ NECESITAS?

- Globo
- Tarro de cristal
- Pajita
- Caja de zapatos
- Goma elástica

## ¡Experimenta!

¿Quieres saber qué tiempo hará mañana?
Conviértete en un experto meteorólogo con este sencillo experimento.

**1** Asegúrate de que el día está soleado para empezar este experimento. Así podrás interpretar mejor el movimiento de tu barómetro.

**2** Recorta un trozo de globo y tapa con él la boca de un tarro de cristal, como si hicieses un tambor. Ténsalo para que, al apretarlo con el dedo, cueste un poco hundirlo, y fíjalo con una goma elástica.

**3** Pega un extremo de la pajita al centro del globo de manera que sobresalga por el extremo y quede recta.

# PIENSA COMO UN CIENTÍFICO

¿Por qué se mueve la pajita de tu barómetro?

El aire que tienes sobre tu cabeza pesa. Y con ese peso hace presión sobre tu cabeza y sobre todo tu cuerpo. Pero no lo notas porque estás acostumbradísimo. De hecho, si baja un poco esa presión sí que lo notas. Por ejemplo, cuando viajas en coche y de repente abres la ventanilla la presión baja de golpe y puedes notar una sensación extraña en tus oídos porque el aire que hay dentro "empuja" hacia fuera.

Cuando cierras el recipiente con el globo, el aire del interior y el del exterior hacen la misma presión en la superficie del globo, por lo que se queda plano. Pero al día siguiente la presión del aire que te rodea, la presión atmosférica, puede haber cambiado, mientras que la presión dentro del recipiente no. Si la presión atmosférica baja, el aire del interior empuja el centro del globo y el otro extremo de la pajita baja. Si la presión atmosférica sube pasa todo lo contrario, el aire de fuera empuja el centro del globo, éste se hunde un poco y el otro extremo de la pajita sube.

En la atmósfera, cuando la presión es alta se dice que hay anticiclón, el aire se despeja de nubes y humedad y llega el buen tiempo. En cambio, si es baja, se dice que hay borrasca: ¡no olvides el paraguas!

## El mapa del tiempo

En un mapa del tiempo puedes ver cómo usan los meteorólogos la información sobre la presión atmosférica. Con un montón de barómetros distribuidos por todo el mundo, recogen información de la presión atmosférica y dibujan unas líneas sobre el mapa uniendo los puntos que tienen la misma presión. Son esos círculos que en el centro tienen una A, de anticiclón (en inglés una H, de "high"), o una B, de borrasca (en inglés una L, de "low"). Así pueden predecir el tiempo que hará al día siguiente ¡en cualquier parte del mundo!

## Para seguir investigando

Cuando subes una montaña, la cantidad de aire que te envuelve disminuye a medida que asciendes. ¡Hay montañas tan altas que incluso puedes notar cómo te falta el aire al respirar! Puedes utilizar tu barómetro para comprobar cómo cambia la presión del aire. Marca la posición de la pajita antes de comenzar a ascender por la montaña y repite el experimento cuando estés en la cima.

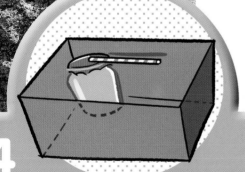

**4**
Pega la base del tarro al fondo de una caja de zapatos de manera que el extremo de la pajita casi toque, sin hacerlo, una de las paredes interiores de la caja.

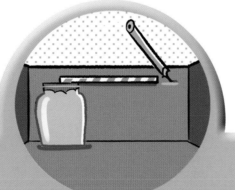

**5**
Dibuja una raya horizontal en la pared de la caja justo a la altura del extremo de la pajita.

**6**
Observa la pajita al día siguiente. Si no se ha movido o está por encima de la rallita hay anticiclón: ¡buen tiempo! Si está por debajo… hay borrasca: ¡puede que llueva!

# Flores camaleónicas

Las plantas carecen de un "corazón" que les permita bombear la savia. ¿Te has preguntado cómo consiguen que el agua suba desde las raíces hasta las hojas?

Vas a comprobarlo pero, además, como si de magia se tratase, podrás cambiar el color de las flores.

## ¿QUÉ NECESITAS?

- Flor blanca con su tallo y sin hojas, de unos 20 cm de longitud (puede ser un clavel o una rosa pero de color blanco, también un trozo de apio)
- Tijeras finas
- Dos recipientes pequeños y estrechos
- Tinta azul y roja líquidas

## ¡Experimenta!

¿Quieres comprobar cómo la savia supera la gravedad y asciende por capilaridad hasta lo más alto de las plantas?

**1**

En una de tus excursiones por la montaña escoge una flor blanca de pétalos grandes y tallo más bien grueso. Corta el tallo unos 20 cm por debajo de la flor.

5cm

**2**

Con unas tijeras separa el tallo longitudinalmente en dos mitades hasta unos 5 cm por debajo de la flor.

**3**

Coloca dos vasos pequeños, uno junto al otro, y añade tinta roja en uno y azul en el otro.

# PIENSA COMO UN CIENTÍFICO

¿Cuál es el mecanismo que permite que la tinta suba hasta las flores?

¿Cómo deben ser los vasos conductores de las plantas para que la savia pueda ascender?

La savia, y en este caso la tinta, sube por los vasos por capilaridad, desde las raíces hasta la copa de los árboles, por muy altos que sean (algunos alcanzan los 150 metros). Para que esto sea posible, los vasos deben ser muy finos (70-80 milésimas de milímetro) y las hojas tienen que evaporar (o transpirar) parte del agua que sube y de este modo facilitar el ascenso al provocar un descenso de la presión en el interior del vaso.

## Para seguir investigando

En lugar de teñir una flor blanca puedes hacer lo mismo con una hoja de lechuga. Escoge una de las hojas interiores que, por falta de luz, son de color casi blanco. Separa el pecíolo en dos y sumerge cada mitad en un vaso diferente. Si en lugar de tinta colocas un colorante alimentario, la lechuga continuará siendo comestible.

## Floristas pintores

Algunos floristas aprovechan esta característica de las plantas para sorprendernos y obtener flores ornamentales de colores inexistentes en la naturaleza.
De todos modos, superar la belleza de los colores naturales de las flores es una tarea seguramente imposible.

Sumerge cada mitad de tallo en un vaso diferente y espera unas horas. Obtendrás una flor de varios colores, como si de un camaleón se tratase.

## El mito de la rosa negra

Hay rosas de muchos colores, pero no de color negro. Sin embargo, algunos avispados timadores han intentado vender como rosas negras naturales rosas teñidas artificialmente de negro. Lo más parecido a una rosa negra natural son dos variedades de rosas de color rojo muy intenso conocidas como Baccara y Perla negra.

# Un suelo a tu medida

No todos los suelos son iguales. Cada uno viene determinado por una serie de características que vale la pena conocer (composición, porosidad, granulometría, acidez, contenido orgánico) y que tú puedes determinar fácilmente con material muy sencillo. En este experimento podrás observar los componentes de diferentes medidas y densidades que forman los suelos.

## ¡Experimenta!

### ¿QUÉ NECESITAS?

- Bolsas de plástico
- Frascos de cristal transparente con tapa (la cantidad dependerá de las muestras que desees analizar)
- Muestras de tierra procedentes de los diferentes horizontes del suelo que estás analizando o de distintos suelos
- Agua
- Lápiz
- Libreta

En pocos pasos podrás ver los diferentes componentes del suelo. Sólo necesitas tierra, agua y... ¡a remover!

**1** Recoge muestras de suelos de diferentes zonas y guárdalas por separado en bolsas de plástico. Anota en cada bolsa el lugar de donde has obtenido la muestra.

**2** Llena 3/4 partes del primer frasco con la tierra de una de las bolsas y añade agua hasta completar el contenido del recipiente. Anota el lugar de procedencia.

**3** Tapa bien el frasco y agítalo con fuerza. Déjalo reposar unas dos horas, hasta que la tierra se vuelva a asentar.

# PIENSA COMO UN CIENTÍFICO

La tierra se asienta en los frascos formando bandas o capas en función del contenido de cada muestra. Las partículas más pesadas (la grava y la arena) se asientan primero, formando una capa de color suave, mientras que las de menor peso (limos y arcillas) se depositan encima formando capas de color más oscuro. La materia orgánica presente quedará flotando en la parte superior del bote.

## ¡Cuidado con las arcillas!

Los terrenos impermeables constituidos por arcillas, limos, margas, yesos...forman suelos que se expanden porque aumentan de volumen cuando absorben agua. En cambio, cuando se secan, disminuyen de volumen, se agrietan y forman curiosos mosaicos. Estos procesos provocan problemas graves en las construcciones (agrietamiento de edificios, pérdida de estabilidad de los cimientos y muros...) y deformaciones en pavimentos y carreteras.

## Para seguir investigando

Una forma más técnica de separar los diferentes componentes del suelo por tamaños es utilizar un tamiz. El tamizado es un método físico para separar mezclas. Consiste en hacer pasar una mezcla de partículas de diferentes tamaños por un tamiz o cedazo. Las partículas de menor tamaño pasan por los orificios del tamiz atravesándolo y las grandes quedan retenidas por el mismo. Por ejemplo, si sacas tierra del suelo y la espolvoreas sobre el tamiz, las partículas finas de tierra caerán y los guijarros y partículas grandes de tierra quedarán retenidos en el tamiz.

### ESCALA GRANULOMÉTRICA

| PARTÍCULA | TAMAÑO |
|---|---|
| Arcillas | <0,002 mm |
| Limos | 0,002-0,06 mm |
| Arenas | 0,06-2 mm |
| Gravas | 2-60 mm |
| Cantos rodados | 60-250 mm |
| Bloques | >250mm |

**4** Realiza el mismo procedimiento para cada una de las muestras de suelo. ¿Son todos iguales? ¿Dónde ha quedado la materia orgánica (humus, raíces, hojas, etc.) que contenía el suelo?

**5** Haz un dibujo de los sedimentos depositados en el frasco y compara los resultados de cada muestra.

## Un nombre para cada grano de tierra

Normalmente a todos los componentes del suelo los llamamos "tierra", pero los científicos dan un nombre diferente a cada "tierra" en función de su tamaño. La medidas de algunos granos que forman el suelo se pueden distinguir a simple vista, pero para las medidas más pequeñas hay que utilizar una lupa. Esta tabla te ayudará a dar un nombre a cada grano.

# Haz desaparecer el arco iris

Ojalá llueva un poquito en tu próxima excursión, porque cuando pare de llover, si sale el Sol y tienes suerte, ¡podrás ver el fabuloso arco iris! Es un fenómeno mágico de la naturaleza, todos los colores desplegados en un arco luminoso. Pero tú todavía eres más mágico... ¡porque vas a hacerlo desaparecer!

## ¡Experimenta!

¿Quieres ver cómo desaparece el arco iris delante de tus propios ojos?

## ¿QUÉ NECESITAS?

- Manguera con difusor o un pulverizador de agua
- Gafas 3D (aprovecha las que venden en el cine para ver películas en tres dimensiones)

**1**

Si no lo ves en la naturaleza, puedes crear un arco iris con una manguera con difusor, de manera que el agua salga "pulverizada". Para conseguirlo sitúate con el Sol a tu espalda.

**2**

Pide a un amigo que pulverice el agua frente a ti. Puedes hacerlo tú, pero luego necesitarás las manos, así que es mejor que te ayuden.

**3**

¡Fíjate bien! ¡El arco iris aparecerá justo en la dirección de tu sombra! Si es muy temprano o al atardecer, el Sol estará más bajo, tu sombra será más larga, y el arco iris será más grande y se verá mejor.

# PIENSA COMO UN CIENTÍFICO

¿Porqué a veces se puede ver el arco iris?¿Cómo es posible que desaparezca?

La luz blanca del Sol está compuesta por todos los colores del arco iris. Cuando los rayos atraviesan las gotitas de agua, cada color se desvía con un ángulo diferente y se pueden ver por separado. El efecto que producen esos rayos al salir en diferentes direcciones es lo que tú ves en forma de arco iris.

Si fuera posible ver la propia luz muy de cerca, con una lupa muy potente, nos daríamos cuenta de que está hecha de unas diminutas "bolitas" de energía, los fotones. Los fotones del arco iris tienen, además, una característica muy especial: en lugar de tener forma de bolita son planos, como diminutas moneditas, y todos viajan con la misma orientación. Los científicos dicen que están "polarizados". Pues bien, las gafas del cine en 3D tienen una especie de rejilla que sólo deja pasar los fotones orientados de una manera, igual que las monedas sólo entran en una hucha si su orientación coincide con la de la ranura. Son gafas polarizadas. Al girar las gafas hay un ángulo en que los fotones del arco iris no pueden atravesar la rejilla, no llegan a tus ojos ¡y el arco iris desaparece!

## Para seguir investigando

Consigue un par de gafas 3D. Ponte unas y observa las otras mientras guiñas un ojo. ¿Qué ves? ¡Fíjate bien! Una de las dos lentes se ve totalmente negra. Y si guiñas el otro ojo, entonces es la otra la que se ve oscura. ¿Adivinas a qué es debido? ¡Exacto! El polarizador de la derecha no deja pasar la luz de la lente de la izquierda de las otras gafas, porqué sus "rejillas" están cruzadas.

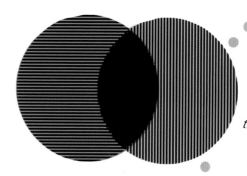

### Luz polarizada para volver al nido

No sólo la luz del arco iris está polarizada. La luz azul del cielo también lo está. Y algunos animales, como las tarántulas y las abejas, ¡utilizan la orientación de la luz polarizada para guiarse y volver al nido o encontrar su alimento!

Coge las gafas 3D y mira por una de las lentes mientras te tapas el otro ojo. Gira la lente poco a poco y observa como el arco iris va, gradualmente, ¡desapareciendo!

## Cine en 3D

En los cines 3D en realidad se proyectan dos imágenes a la vez en la pantalla. Una es la que verías con el ojo derecho y la otra la que verías con el izquierdo. La luz de cada imagen tiene los fotones polarizados como los del arco iris. Pero los de una imagen están orientados de forma cruzada respecto a los de la otra imagen. Las gafas polarizadas tienen la "rejilla" de cada lente orientada de forma cruzada, una perpendicular a la otra. Así pueden separar la imagen que corresponde a cada ojo. Al ver una imagen distinta con cada ojo, tu cerebro se piensa que estás viendo las cosas como en la realidad, ¡en tres dimensiones!

# Banquete nocturno

Quizás alguna vez paseando por el campo te has encontrado con una especie de bolas o cilindros de pelos. Los científicos les han puesto un nombre muy raro, egagrópilas, y no debes confundirlas con excrementos. Las egagrópilas no son más que masas de pelos y huesos regurgitados (o vomitados) por aves rapaces nocturnas que los expulsan de forma natural ya que no pueden digerirlos.

¿Quieres convertirte en un minucioso detective capaz de analizarlas y averiguar de qué se alimentan estas extraordinarias aves?

## ¿QUÉ NECESITAS?

- Egagrópilas
- Pinzas finas
- Un recipiente con agua (opcional)
- Guías de aves y de mamíferos

## ¡Experimenta!

Separa cuidadosamente los huesos que forman las egagrópilas y descubre cuales son los manjares predilectos de las rapaces nocturnas.

**1** Recoge una o varias muestras de egragópilas del campo. Suelen encontrarse al pie de los árboles o alrededor de edificios abandonados o aislados en el campo.

**2** Con ayuda de unas pinzas, separa cuidadosamente los huesos. Si te resulta difícil, previamente puedes sumergirlas en agua tibia para ablandarlas.

**3** Dedica especial atención a los cráneos y a las mandíbulas, que son los que mejor identifican a sus propietarios originales.

**BIOLOGÍA**

# PIENSA COMO UN CIENTÍFICO

¿Qué ventajas tiene el estudio de las egagrópilas?

¿Por qué los huesos están enteros?

Estudiar las egagrópilas es un método fácil pero muy preciso para conocer qué especies de rapaces y roedores habitan en un territorio. Piensa que la observación de animales nocturnos resulta muy incómoda y complicada.

A diferencia de nosotros, las rapaces nocturnas tienen una visión nocturna muy desarrollada y su vuelo es extraordinariamente silencioso e imperceptible para el oído humano.

Los huesos están enteros porque las rapaces no mastican el alimento; lo tragan íntegramente, digieren las partes blandas y expulsan por la boca los restos.

## Para seguir investigando

Búhos, lechuzas, mochuelos o cárabos son depredadores extraordinarios, no sólo por su visión nocturna y su vuelo absolutamente silencioso. Su papel ecológico es importantísimo, pues contribuyen a controlar las plagas de roedores, animales por otra parte muy prolíficos. Es por este motivo que estas aves están protegidas por la ley en muchos países.

Investiga las adaptaciones de estas aves a la vida nocturna, especialmente en lo que se refiere a la disposición y el tamaño de sus ojos y la extraordinaria movilidad de su cuello.

La Sagrada (Ledesma) 21-1-11

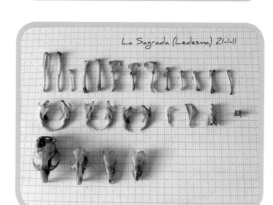

Existe la creencia de que las rapaces nocturnas pueden girar totalmente la cabeza (es decir 360º), pero esto es falso. Lo cierto es que pueden girar la cabeza a izquierda y derecha mucho más que el resto de los animales, y más deprisa, pero realmente están lejos de ser aves "exorcistas".

## Mitos y supersticiones

Para algunas culturas antiguas encontrarse con una rapaz nocturna era señal de mal augurio, ya que debido a sus costumbres nocturnas se la consideraba presagio de la muerte.

En la Grecia clásica, en cambio, la lechuza era el símbolo de Atenea, protectora de Atenas y diosa de la sabiduría. Por esta razón la lechuza aparece en las monedas griegas de un euro.

Con ayuda de guías especializadas intenta averiguar la especie de rapaz que las ha producido y las de los pequeños roedores que le sirven de alimento.

# Un mar de ciencia

# El castillo se derrumba

## ¡Experimenta!

Seguro que alguna vez has visto una noticia sobre corrimientos de tierra que han bloqueado carreteras o, incluso, han sepultado pueblos enteros. Este proceso natural depende de muchas factores, siendo uno de ellos la composición del terreno. En este experimento podrás observar su importancia construyendo castillos de arena.

### ¿QUÉ NECESITAS?

- Dos cubos de playa
- Agua destilada
- Agua corriente
- Agua de mar (si estás cerca de la playa)
- Barreño
- Sal
- Arena
- Jarra
- Agitador
- Bandeja de plástico (u otra superficie plana que sirva de base para los castillos)

En este experimento podrás observar la importancia de las sustancias que cohesionan los materiales que forman los terrenos.

**1** Llena la jarra con agua de mar. Si no estás cerca de la playa utiliza agua corriente y añádele una buena cantidad de sal.

**2** Llena el barreño con arena fina de playa. Si no estás cerca del mar, utiliza arena similar que puedas encontrar, por ejemplo, en un parque infantil, un jardín o en una obra próxima a tu casa.

**3** Llena de arena el cubo de playa, añádele agua salada hasta que la arena tenga coherencia y construye un castillo sobre una superficie plana (por ejemplo, una bandeja de plástico). Procura no echar demasiada agua a la arena, ya que si no superarás su límite de plasticidad y el castillo se derrumbará nada más hacerlo.

## PIENSA COMO UN CIENTÍFICO

¿Cuál de los dos castillos es más resistente?

**Algunos materiales consiguen su resistencia a partir de cementos que unen los granos entre sí, por eso el castillo realizado con agua salada es más resistente que el hecho con agua destilada o del grifo. En la naturaleza, los terrenos con cemento de carbonato de calcio son más inestables que los que tienen cemento de sílice porque el agua ácida de la lluvia disuelve el cemento carbonatado con mayor facilidad.**

## Para seguir investigando

Investiga cómo el agua puede ayudar a mantener cohesionado el material fino (arena fina, arcilla y limo). Investiga cómo un exceso de agua puede provocar que el suelo fluya de manera parecida a un líquido. Para ello pon material fino seco en un canalón, e inclínalo y ve haciendo pruebas añadiendo cada vez más agua al material. Observarás cómo al principio el agua cohesiona el material e impide que fluya, pero cuando hay exceso de agua el material fluye como un río de barro.

### Una palabra rara: "lahar"

Un lahar es un tipo de flujo de barro. Se produce por la rápida fusión de la nieve y/o los glaciares durante una erupción volcánica. Esto provoca un rápido aumento del contenido de agua en la tierra y ésta fluye como un río. Los lahares pueden ser sumamente peligrosos porque se desplazan a gran velocidad a lo largo de muchas decenas de kilómetros, produciendo catastróficas destrucciones en su recorrido.

**4** Haz otro castillo al lado del anterior utilizando agua destilada para dar consistencia a la arena. Si no tienes agua destilada puedes emplear agua del grifo.

**5** Déjalos secar al sol. Al cabo de un tiempo un castillo se derrumbará antes que el otro.

## Carreteras cortadas

En las épocas de lluvia es frecuente oír noticias sobre carreteras cortadas por derrumbes de los taludes y por desprendimientos de rocas. Normalmente, estos problemas se deben a la disminución de la consistencia de los suelos con un alto contenido en arcillas cuando absorben gran cantidad de agua. En otras ocasiones, los desprendimientos se producen por la excesiva inclinación con la que están hechos los taludes.

# Copas mágicas

Después de pasar toda la mañana chapoteando en el agua y haciendo castillos de arena ha llegado la hora de la comida. ¿Te apetece distraer a todos los comensales con un experimento que los dejará boquiabiertos?

## ¿QUÉ NECESITAS?

- Dos copas de cristal
- Trozo de papel un poco rígido (no una servilleta)
- Un poquito de arena

## ¡Experimenta!

¿Sabías que es posible dibujar con el sonido?

**1**
Elige un par de copas y ponlas cerca una de otra.

**2**
Cubre una de las copas con un trozo de papel y esparce un poquito de arena encima del papel.

**3**
Mójate un dedo con un poco de agua y acaricia suavemente el borde de la otra copa recorriéndolo todo, dando vueltas, hasta oír un silbido producido por el cristal, un sonido parecido al de una flauta.

# PIENSA COMO UN CIENTÍFICO

**¿Por qué se forman los dibujos en la otra copa sin tocarla?**

Con tu experimento has observado el fenómeno de la resonancia. Recuerda que el sonido es una vibración del aire. Al hacer sonar la primera copa, el aire que tiene alrededor vibra. Esas vibraciones, al llegar a la segunda copa, empujan el cristal hacia delante y hacia atrás, haciéndola sonar, aunque flojito. Puedes comprobarlo repitiendo el experimento sin el papel ni la arena. Haciendo sonar la primera copa y luego tapándola con la mano para que deje de vibrar: la segunda copa estará sonando un poco por resonancia.

Al colocar el papel en la segunda copa, esas vibraciones se transmiten por todo el papel y mueven los granitos de arena. Pasa exactamente lo mismo que cuando estás sentado en una cama elástica y hay alguien botando cerca. ¡Al final los granos de arena forman dibujos de lo más curiosos!

## Para seguir investigando

Prueba a llenar la copa que estás haciendo sonar con agua a diferentes niveles. Verás que la nota, el sonido que se produce, es diferente para cada cantidad de agua... y el dibujo que se forma en el otro vaso también.

## El Puente del Milenio

Un fenómeno similar al que has aprovechado tú para hacer mover los granitos de arena a distancia provocó en el año 2000 el cierre del Puente del Milenio (Millenium Bridge) de Londres, justo el día de su inauguración. Las vibraciones provocadas por los pasos de las más de 90.000 personas que lo cruzaron entraron en resonancia con el puente y se puso a vibrar más de la cuenta. Los ingenieros tuvieron que cerrarlo para arreglarlo y volverlo a abrir más tarde.

**4**

Observa la arena sobre el papel. ¡Se están formando unos dibujos mágicos sin que nadie toque la otra copa!

## Afinadores de instrumentos

Para afinar los instrumentos musicales se utilizan resonadores parecidos al que has creado tú con las dos copas. El aparato que afina está preparado para resonar cuando "oye" una nota concreta e indica si se está tocando esa nota. Cuando el músico toca su instrumento y la nota no está afinada, el aparato no "resuena bien" y lo indica en la pantalla para que el músico pueda afinarlo correctamente.

# Atención: ¡Playa corrosiva!

¡Qué bonitos son los pueblos de playa! Muchos parecen de postal. Pero los que viven en ellos, saben que estar cerca de la playa tiene algunos inconvenientes. Fíjate en las barandillas de algunos balcones, o en las bisagras de las puertas. ¡Algunas están muy oxidadas! ¿Sabes por qué? ¡Averígualo con este experimento!

## ¡Experimenta!

¿Quieres averiguar por qué se estropea el hierro cuando estás cerca del mar?

### ¿QUÉ NECESITAS?

- Tres vasos
- Agua del grifo
- Agua de mar (si no estamos cerca del mar podemos añadir sal al agua del río o lago)
- Tres tornillos largos

**1** Pon en dos vasos un poquito de agua, uno con agua de mar y el otro con agua del grifo, y deja el tercer vaso vacío. Utiliza vasos transparentes, para poder observar lo que ocurre en su interior.

**2** Introduce un tornillo en cada uno de los tres vasos, de manera que la mitad quede fuera del agua, y déjalos ahí durante un día entero. Observa los cambios y anótalos en una libreta.

24h

**3** Al día siguiente, saca el tornillo que estaba en el vaso de agua del grifo y el que estaba en el vaso vacío. Saldrán prácticamente igual que cuando los dejaste.

# PIENSA COMO UN CIENTÍFICO

¿Por qué el tornillo sumergido en agua de mar se ha oxidado tan rápidamente?

¿Qué es eso naranja que ha aparecido en su superficie?

Cuando el hierro está en contacto con el aire se produce, muy lentamente, una reacción química: el oxígeno del aire se combina con el hierro y se forma una nueva sustancia, el óxido de hierro, de color naranja. Pero ocurre muy despacio y no lo puedes ver en sólo un día. Por eso, los tornillos del vaso vacío y del vaso con agua del grifo están igual que al principio. Pero en el tornillo que estaba con el agua marina el óxido ha aparecido muy rápidamente, ¡en tan sólo un día! Esto se debe a que el agua de mar, que es salada, acelera la reacción química. Por eso se estropean tan rápidamente las cosas de hierro, como las barandillas de los balcones o las bisagras de las ventanas, en las casas que están cerca del mar. ¡Al cabo de mucho tiempo la corrosión puede llegar a deshacer completamente el hierro!

MONDAY
march, 11 '13

NEWS

Only fresh news

№ 34747/53

founded 1953

## Para seguir investigando

Una vez tienes las tres tuercas oxidadas, puedes quitarles el óxido con otra reacción química. Para hacerlo sólo tienes que introducirlas en algún ácido durante unas horas. Prueba a limpiar las tuercas oxidadas en tres vasos, uno con zumo de limón (ácido cítrico), otro con vinagre (ácido acético) y otro con un refresco de cola, que también tiene ácido (ácido fosfórico).

¿Con qué ácido se limpian antes?

### El avión descapotable

En 1988 un avión Boeing 737 volaba sobre el océano Pacífico cuando, de repente, ¡el techo salió volando! Suerte que los 90 pasajeros iban bien atados con los cinturones de seguridad. El piloto pudo aterrizar rápidamente en una de las islas Hawái y sólo se llevaron un buen susto. La causa del accidente fueron unas grietas en el techo ¡causadas por la corrosión!

A continuación, saca el tornillo del vaso de agua de mar. El tornillo estará cubierto de un color anaranjado. Se habrá oxidado en un proceso que se llama "corrosión".

## Aceite para evitar la corrosión

Fíjate que muchas veces se utiliza aceite para proteger el hierro de la corrosión: se untan las bisagras con un spray que contiene aceite, las cadenas de las bicicletas, las cerraduras de las puertas. ¿Sabes por qué? El aceite hace de escudo protector: no deja que el oxígeno entre en contacto con el hierro, así que no puede reaccionar con él y el hierro ¡no se oxida!

# Un ciclo en miniatura

El agua es una sustancia extraordinaria. Lo es porque de ella depende la existencia de vida; ¡donde hay agua hay vida! Es la única sustancia de nuestro planeta que, de forma natural, se puede encontrar en los tres estados de la materia: sólido (hielo), líquido (agua) y gaseoso (vapor de agua), siendo capaz de pasar de uno a otro de forma continua (ciclo del agua).

El agua es un recurso renovable (su cantidad se mantiene constante), aunque la disponibilidad de agua potable no siempre esté al alcance de todos.

## ¡Experimenta!

¿Quieres conocer cómo funciona el ciclo del agua?

## ¿QUÉ NECESITAS?

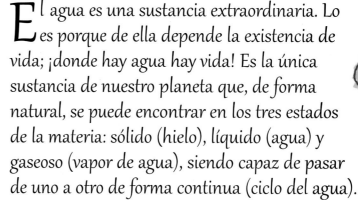

- Dos cuencos de distinto tamaño, de manera que uno quepa dentro del otro
- Papel film de plástico que cubra el cuenco más grande
- Agua
- Sal
- Piedra pequeña (también pueden servir un par de monedas)

**1** Con ayuda de tus padres, pon el agua con sal a hervir.

**2** Mientras se calienta el agua, coloca un cuenco pequeño dentro de otro más grande.

**3** Cuando el agua empiece a hervir, vuelve a pedir la ayuda de un adulto e introdúcela en el cuenco grande.

# PIENSA COMO UN CIENTÍFICO

Observa el agua que se ha depositado en el cuenco pequeño. ¿De dónde ha salido?

Prueba el agua del cuenco pequeño. ¿Cómo hemos conseguido que sea agua dulce?

Al calentar el agua hemos provocado su evaporación, es decir, que pasara de estado líquido a estado gaseoso. Al entrar en contacto con el papel film, se ha enfriado y entonces se ha condensado, es decir, ha pasado de estado gaseoso otra vez a estado líquido y ha caído en el cuenco pequeño siguiendo la inclinación del papel film.

Pero la sal que estaba disuelta no ha seguido el mismo proceso y se ha quedado en el cuenco grande. El agua que tenemos en el cuenco pequeño es agua destilada y por eso no es salada.

## Para seguir investigando

¿Qué sucedería si añadiésemos un colorante alimentario en el agua caliente? ¿Pasaría al cuenco pequeño? Puedes volver a realizar el experimento para comprobarlo.

## Un tesoro al alcance de pocos

Millones de personas en el mundo no disponen de agua potable para beber y deben caminar varios kilómetros cada día para abastecerse de agua libre de contaminación y microorganismos dañinos. El agua potable sólo representa el 3% de agua de la Tierra y únicamente unas pocas personas tienen acceso a la misma.

Este problema se podría solucionar si todo el mundo pudiera fabricarse algún tipo de mecanismo barato que permitiera destilar el agua, como el que hemos practicado en este experimento.

### La guerra del agua

El gobierno boliviano decidió privatizar la explotación del agua potable en la ciudad de Cochabamba en el año 2000. Esto supuso el encarecimiento de su precio en más del 50%. La población se sublevó contra este incremento abusivo y el gobierno se vio obligado a hacer marcha atrás para evitar una masacre. El impacto social, político y económico de la escasez de agua se está convirtiendo en una importantísima fuerza desestabilizadora. En el futuro más inmediato, el control del agua será fuente de conflictos y guerras, como actualmente lo es el petróleo.

**4** Cubre los cuencos rápidamente con papel film, de manera que queden herméticos y no se escape vapor caliente.

**5** Coloca una piedrecita en el centro del papel film, justo por encima del centro del cuenco pequeño. Debes comprobar que el papel film se hunde un poco por el peso de la piedra, pero sin agujerearse.

**6** Espera una o dos horas para ver qué ocurre con el agua que se evapora del cuenco grande.

# El Himalaya en 30 segundos

## ¡Experimenta!

En esta actividad te proponemos la simulación del plegamiento tectónico que ha dado lugar a la formación de cordilleras mediante el uso de una máquina de fabricar pliegues. Con ella es posible simular los esfuerzos que se producen en determinadas zonas de la Tierra como consecuencia de la colisión de dos placas tectónicas. La construcción de este modelo te ayudará a entender cómo se formaron las cadenas montañosas a partir de rocas estratificadas.

### ¿QUÉ NECESITAS?

- Recipiente pequeño y transparente de plástico o vidrio, por ejemplo, una pecera
- Tabla que se ajuste a la caja
- Arena seca
- Harina u otro polvo que tenga contraste de color con la arena
- Cuchara

El Himalaya se formó cuando la India chocó con Asia por procesos vinculados a la tectónica de placas. ¿Quieres imitar lo que sucedió con la capa de corteza oceánica que se encontraba entre estas dos masas continentales?

**1** Coloca una tabla en uno de los bordes del recipiente transparente.

**2** Superpón, de forma alternada, varias capas de arena seca y harina en el recipiente transparente. No llenes más de la mitad del recipiente.

**3** Muy cuidadosamente, empuja la tabla a través del recipiente de manera que comprima las capas, deteniéndote de vez en cuando para observar los resultados.

# ⚛ PIENSA COMO UN CIENTÍFICO

Las fuerzas producen la deformación de las rocas sobre las que actúan. Al iniciarse el movimiento, la fuerza ejercida sobre la tabla vence la fricción dentro de la arena, haciendo que se pliegue, y también trabaja contra la gravedad, causando la elevación. Observa que en primer lugar se produce una deformación plástica (plegamiento) y si sigues empujando tiene lugar la fracturación o fallamiento (deformación frágil) del material.

## Para seguir investigando

Repite el experimento alternando capas de arena y harina, pero coloca tablas en ambos lados del recipiente para provocar movimientos de los dos lados al mismo tiempo. Empuja de un lado más fuerte o rápido que del otro. ¿Se forman los mismos tipos de pliegues y de fallas? Trata de repetir el experimento, pero usando diferentes materiales, más gruesos o más finos, más coherentes o menos coherentes... ¿Se comportan estos materiales de la misma manera que la arena y la harina?

## Los fósiles marinos del Himalaya

¿Cómo es posible que las rocas que forman la cordillera del Himalaya contengan fósiles de animales marinos? La explicación está en que las rocas que integran estas montañas antiguamente formaban el fondo de un mar. Cuando el continente indio colisionó contra Asia, hace unos 55 millones de años, la presión que se originó entre las placas plegó y levantó una enorme cantidad de sedimentos marinos acumulados en el fondo del mar que había entre las dos placas y generaron las montañas del Himalaya.

### Y además ¡tiembla!

El choque de placas tectónicas no sólo origina las cadenas montañosas, también provoca terremotos y volcanes. Las placas están en contacto entre sí, como enormes témpanos que se juntan o separan, produciendo terremotos en sus fronteras. Estos movimientos de placas originan grandes fracturas en la corteza terrestre que liberan energía en forma de ondas mecánicas que hacen vibrar la superficie de la Tierra.

# Pintor de arena

$x = A\sin(\omega t + \alpha)$
$y = B\sin(\omega t + \beta)$
$\delta = \alpha - \beta$

¿**S**abías que las matemáticas, además de ayudarte a realizar cuentas en la vida diaria, sirven para crear y descubrir auténticas obras de arte? Conviértete en un gran matemático con este experimento y crea una obra de arte a partir del movimiento de una botella.

## ¿QUÉ NECESITAS?

- Botella de plástico
- Trozo largo y trozo corto de cuerda
- Arena
- Toalla lisa, sin dibujos
- Sombrilla o árbol del que colgar la cuerda con la botella

## ¡Experimenta!

¿Sabías que es posible hacer un bonito dibujo de arena sólo con el movimiento de una botella? ¡Consíguelo con este experimento!

**1** Recorta la base de una botella y haz un pequeño agujero en el centro del tapón.

**2** Haz dos agujeritos en el plástico, cerca de la base, de manera que queden uno frente al otro.

**3** Haz pasar una cuerda larga por uno de los agujeros y haz un nudo. Pasa otra cuerda corta por el otro agujero y anúdala a la primera, como en el dibujo.

# PIENSA COMO UN CIENTÍFICO

FÍSICA

¿Por qué se forman esos dibujos tan espectaculares en la toalla?

Al empujar la botella, ésta sigue un movimiento de vaivén. Si la empujas apuntando bien para que vaya recta, la arena dibujará una línea recta también en la toalla. Pero si la empujas en cualquier otra dirección, la botella seguirá un baile algo más complicado. Será la combinación de dos movimientos que oscilan y formará un dibujo más bonito: una curva de Lissajous. Estas figuras las descubrió un matemático y físico francés hace dos siglos: Jules Antoine Lissajous, que las tradujo a simples fórmulas matemáticas.

## Para seguir investigando

Prueba a empujar la botella con diferente fuerza y en direcciones distintas. En cada caso estarás provocando movimientos diferentes y el dibujo que crearás en la toalla ¡también será distinto!

## Matemáticas en la naturaleza

En la naturaleza hay muchas formas que, igual que las figuras de Lissajous, se pueden escribir como una fórmula matemática. Fíjate bien en la concha de un caracol, en la distribución de las escamas de una piña, en los remolinos que forman los huracanes: ¡todos tienen forma de espiral! ¿Sabías que hasta tus uñas acabarían describiendo una espiral si las dejases crecer durante mucho tiempo sin cortarlas? También algunas coliflores y las hojas de los helechos tienen formas llamadas fractales, que se pueden escribir con fórmulas matemáticas.

**4** Ata el otro extremo de la cuerda larga a la rama de algún árbol o al extremo de una sombrilla.

**5** Coloca una toalla lisa, sin dibujo, debajo de la botella.

**6** Rellena de arena la botella y empújala suavemente para que se balancee. Observa la toalla: ¡se está formando un dibujo espectacular!

# ¡Sácales brillo!

¡Seguro que te encanta recoger las conchas que vas encontrando por la arena, en la orilla de la playa! ¡Son muy bonitas! A veces tienen restos que las ensucian, pero a ti te gustaría que estuvieran como nuevas para coleccionarlas o hacer estupendos collares. ¿Quieres aprender un truco para dejarlas bien limpias?

## ¿QUÉ NECESITAS?

- Vaso transparente
- Vinagre blanco
- Conchas y caracolas de mar
- Agua y jabón

## ¡Experimenta!

¿Quieres aprender a limpiar a fondo las caracolas y las conchas del mar?

**1** Llena un vaso transparente con vinagre blanco y mete las conchas en su interior de manera que queden totalmente cubiertas por el vinagre.

**2** Fíjate bien en la superficie de las conchas. Verás que de ellas salen unas burbujitas pequeñas que suben hacia la superficie del vinagre.

**3** Deja las conchas durante dos o tres horas dentro del vaso y sácalas al cabo de ese tiempo.

# PIENSA COMO UN CIENTÍFICO

¿Por qué el vinagre ha limpiado las conchas?¿Qué son esas burbujitas que se ven en la superficie de las conchas?

Las conchas y las caracolas de mar son los esqueletos de pequeños animales marinos, los moluscos. En lugar de tener el esqueleto dentro del cuerpo lo tienen por fuera. Para construirlo, a lo largo de sus vidas utilizan el carbonato cálcico que hay disuelto en el agua del mar. Cuando tú pones una concha dentro del vaso, el vinagre, que es un ácido (ácido acético), reacciona con el carbonato cálcico deshaciéndolo y formando un gas (dióxido de carbono). Ese gas es justamente lo que ves aparecer en forma de burbujas. Al deshacerse las capas más externas del caparazón se limpian las impurezas ¡y la concha queda reluciente!

## Para seguir investigando

Puedes dejar más tiempo las conchas en vinagre para ver lo que sucede. ¡Fíjate en cómo se van debilitando poco a poco hasta que pierden tanta densidad que flotan en el agua e incluso se deshacen! Prueba también a limpiarlas con zumo de limón.

El ácido cítrico del zumo también reacciona con el carbonato cálcico.

## Vinagre para limpiar

Además del vinagre para la ensalada, en las droguerías y los supermercados puedes encontrar vinagre concentrado de limpieza. Es como el vinagre que has utilizado en tu experimento, pero más fuerte. ¡Y justamente se utiliza para limpiar, por ejemplo, esas manchas blancas del carbonato cálcico que se acumula en las tuberías y en los grifos!

Si ya están suficientemente limpias, lávalas bien con agua y jabón para que el vinagre deje de actuar y no se pierda el relieve que tienen en la superficie.

## ¡Los moluscos de los océanos están en peligro!

El gas que se ha formado en las burbujas de tu experimento es el mismo que se produce en grandes cantidades en las fábricas: el dióxido de carbono. Cuando hay mucho dióxido de carbono en la atmósfera el mar lo absorbe, se vuelve más ácido, como el vinagre, y desaparece parte del carbonato cálcico. Y, como has visto en el experimento, eso no es bueno para los moluscos, los animales marinos con concha, porque su esqueleto se deshace y no pueden sobrevivir. Ni ellos, ni los peces que se alimentan de ellos.

4

# Surfistas ecológicos

Sobre las aguas remansadas de algunos ríos o lagos es posible observar cómo patinan con gran habilidad unos pequeños insectos. Estos insectos, conocidos como zapateros, se deslizan sobre sus cuatro finísimas patas posteriores dejando libre el primer par para capturar su alimento.

¿Cómo consiguen deslizarse sobre la superficie del agua?

## ¿QUÉ NECESITAS?

- Colador o similar
- Dos o tres zapateros
- Bote transparente
- Dos bandejas
- Agua y detergente líquido

## ¡Experimenta!

¿Quieres averiguar cómo son capaces de mantenerse en la superficie? ¿Lo pueden hacer sobre cualquier tipo de agua? ¡Compruébalo!

**1** Con un colador o un cazamariposas pequeño captura dos o tres zapateros y colócalos en un bote con agua.

**2** Coge dos bandejas grandes y limpias. Asegúrate de que no tienen restos de grasas o aceites.

**3** En una de ellas añade agua limpia y, en la otra, agua con unas gotas de detergente, procurando que no se forme espuma.

**BIOLOGÍA**

¿Por qué motivo los zapateros se comportan de diferente manera en las dos bandejas?

El motivo que les permite patinar en la bandeja libre de detergente es que las patas de estos insectos poseen unos finísimos pelos hidrófugos que aprovechan la tensión superficial del agua para no hundirse.

Los detergentes reducen la tensión superficial del agua y en consecuencia ésta no soporta su peso y se hunden.

La tensión superficial es una fuerza que ejercen las moléculas de agua sólo en la superficie de la misma y es consecuencia de que dichas moléculas se comporten como pequeños imanes.

Esta fuerza es la que aprovechan estos y otros insectos para resbalar sobre el agua en busca de alimento.

## Para seguir investigando

Otros ejemplos que se basan en la tensión superficial del agua son la capilaridad y las emulsiones (como la mayonesa).

La capilaridad consiste en la capacidad de que un líquido ascienda espontáneamente por un conducto muy fino llamado capilar. Así es como asciende la savia desde las raíces hasta las hojas. Cuando menor sea el diámetro del capilar mayor será la altura a la que podrá subir el agua. El diámetro de un capilar ha de ser inferior a una décima de milímetro.

La mayonesa es una emulsión de aceite en agua que se mantiene estable gracias a la yema de huevo y a la tensión superficial que generan las moléculas de agua.

### Indicadores ecológicos

¿Qué es un indicador ecológico? Es una señal inequívoca de que la presencia de una determinada especie (en este caso el zapatero) garantiza que el medio (en este caso el agua) está libre de sustancias detergentes. Para los ecólogos la presencia de zapateros en las aguas dulces es una excelente señal de la buena calidad del agua.

## ¡Un récord muy tenso!

Los griegos, sin saberlo, ya aprovechaban la tensión superficial para jugar a hacer rebotar piedras sobre la superficie del agua. El ganador es el que consigue que la piedra rebote más veces antes de hundirse. Que la piedra rebote es consecuencia de la tensión superficial, pero hay otros factores que favorecen el rebote. El más importante es el ángulo de contacto entre la piedra y el agua, que debe ser de unos 20 grados; también influyen la velocidad (cuanto más alta mejor), la forma de la piedra (plana y circular) y que ésta gire sobre sí misma. Con esta información a ver si consigues batir el récord del mundo, que de momento está en ¡51 rebotes!

**1** **2**

**4**
Introduce los zapateros en la primera bandeja y observa su comportamiento. Trasládalos después a la otra bandeja y haz lo mismo.

**5**
Devuelve los insectos a su medio natural transportándolos en un recipiente con agua limpia.

# ¡Cuidado con las olas!

C uando estás en la playa y ves las olas romper en la orilla seguro que nunca te has parado a pensar lo complejo e interesante que es el proceso de formación que atraviesan. ¿Te has preguntado alguna vez cómo se mueven las partículas de agua en las olas? Pues vamos a averiguarlo con un sencillo experimento que puedes realizar incluso si no vives cerca del mar.

## ¿QUÉ NECESITAS?

- Globo
- Cuerda de 50 cm
- Piedra
- Lago o piscina (a menor escala puede hacerse en la bañera con una piedra y un globo pequeños)

## ¡Experimenta!

¿Sabrías dibujar cómo se mueven las partículas de agua cuando les afectan las olas? Seguro que no lo aciertas. Pero no te preocupes, después de este experimento lo entenderás.

**1** Infla un globo y átale una cuerda en la zona del nudo. Asegúrate de que queda bien atada para que no se suelte al realizar el experimento.

**2** Ata una piedra al otro extremo de la cuerda. Al igual que en primer paso, asegúrate de que esté bien atada. La piedra debe ser lo suficientemente grande como para que haga de ancla del globo, pero sin que lo llegue a hundir totalmente.

**3** Colócalo en el agua y comienza a mover el agua hacia atrás y hacia delante produciendo ondas. Si no puedes apreciar bien el movimiento del globo es porque estará demasiado hundido. Si es así cambia la piedra por otra menos pesada.

# PIENSA COMO UN CIENTÍFICO

¿Qué sucede? El globo comienza a girar alrededor de la piedra, contrariamente a lo que podríamos esperar. ¿Por qué sucede esto? Aunque las ondas en el agua parecen moverse hacia delante, las moléculas del agua se mueven hacia arriba y hacia abajo en un movimiento circular. El movimiento de un objeto sobre las olas realizará un movimiento circular.

## Para seguir investigando

No todas las olas son iguales. Su forma depende principalmente de la forma del fondo marino de la playa. Una playa con un fondo de suave pendiente originará olas sin fuerza y más bien llanas. Por el contrario, una playa con un fondo profundo que pasa directamente a un fondo menos profundo originará ondas ahuecadas y potentes. Investiga qué tipo de olas hay en las playas cercanas a tu casa o dónde pasas el verano y compáralas con las producidas en otro tipo de playas.

## ¿Hay olas en el fondo del mar?

EL viento es el principal causante de las olas, provocando en las partículas del agua un movimiento circular. El diámetro de este movimiento circular es máximo en la superficie, disminuyendo a medida que profundiza. Además va adquiriendo una forma más elíptica hasta llegar a una profundidad donde no se percibe.

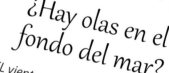

## Tsunami: la ola gigante

Un tsunami es una serie de olas procedentes del océano que envía grandes oleadas de agua que, en ocasiones, alcanzan alturas de 30,5 metros hacia el interior. Estas sobrecogedoras olas son causadas por grandes terremotos submarinos. Cuando el suelo del océano, por efecto de un terremoto, se eleva o desciende de repente, desplaza el agua que hay sobre él y la lanza en forma de olas gigantes hacia la costa.

4

Observa cómo se mueve el globo. ¿Esperabas que se moviera así? ¿Qué piensas ahora sobre el movimiento de las partículas de agua en las olas?

# Escudo protector

¡Ven, que te pongo crema solar! ¿Cuántas veces te habrá dicho esto tu madre al llegar a la playa? Pues ya le puedes hacer caso, porque el Sol te puede provocar quemaduras que pueden resultar muy molestas y enfermedades en la piel que pueden ser muy peligrosas. ¡La crema solar es un auténtico escudo que te protegerá de sus rayos! ¿Quieres comprobarlo?

## ¿QUÉ NECESITAS?

- Revista
- Día soleado
- Crema de protección solar

## ¡Experimenta!

¿Quieres comprobar los efectos de la crema solar?

**1** Coge una hoja cualquiera de una revista. Si es una hoja con alguna fotografía a toda página, con muchos colores, mejor que mejor.

**2** Unta la mitad de la hoja con la crema solar que usas tú en la playa, con cuidado de no estropearla.

**3** Pon la hoja en algún sitio donde le dé la luz del sol durante todo el día. Procura que sea un sitio donde no se moje ni se pueda estropear.

# PIENSA COMO UN CIENTÍFICO

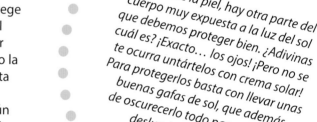

¿Por qué la crema solar protege de la luz del sol?

La luz del sol está compuesta de todos los colores del arco iris y, además, de unos colores que tus ojos no pueden ver. Uno es el infrarrojo, una luz invisible que notas perfectamente porque es la que da esa sensación de calorcito cuando te da el sol. El otro color invisible es el ultravioleta. Los rayos ultravioleta no se ven y no calientan, pero tienen suficiente energía para destruir las partículas de tinta que colorean las imágenes de la revista. Y lo que es peor, pueden destruir partes de tu piel y provocar quemaduras y enfermedades. La crema solar deja pasar casi toda la luz del sol, pero no los rayos ultravioleta: los atrapa y absorbe su energía para que no lleguen a dañar tu piel.

## Para seguir investigando

Si te fijas bien verás que, probablemente, la crema solar de tus padres no es la misma que la tuya. Normalmente la crema de los niños protege más de los rayos ultravioletas porque tu piel, al ser más joven, es más sensible y se puede dañar más fácilmente. Repite el experimento dividiendo la hoja de la revista en varias zonas, una zona expuesta directamente al sol, otra untada con la crema de tus padres, otra untada con tu crema, y otra tapada con algún objeto que no deje pasar la luz, como un libro. Al final del día, ¿observas alguna diferencia entre las distintas zonas?

## Gafas de sol

Además de la piel, hay otra parte del cuerpo muy expuesta a la luz del sol que debemos proteger bien. ¿Adivinas cuál es? ¡Exacto… los ojos! ¡Pero no se te ocurra untártelos con crema solar! Para protegerlos basta con llevar unas buenas gafas de sol, que además de oscurecerlo todo para que no te deslumbres, no permitan el paso de los invisibles rayos ultravioleta.

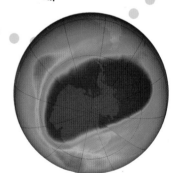

## La capa de ozono

En la atmósfera hay un escudo que te protege de los rayos ultravioleta antes de que lleguen a tu piel: la capa de ozono. Si no existiese ese escudo ¡no podrías salir ni siquiera a dar un paseo en un día soleado sin ponerte en peligro! Hace años los científicos descubrieron que los gases de algunos sprays, al subir por la atmósfera, deshacían esa capa y provocaban un enorme agujero tan grande como toda Europa, aunque en el cielo del Polo sur.

Por suerte, se prohibieron esos sprays y la capa de ozono parece que se está recuperando poco a poco.

Al atardecer observa bien la hoja. ¡Las dos mitades tienen un aspecto totalmente diferente! La crema solar ha protegido los colores de los efectos de la luz del sol.

4

# Deshacer el agua del mar

¿Sabes de qué está hecha el agua de mar? Está compuesta de dos elementos que normalmente están en forma de gas, pero que se juntan y crean el agua. Son el oxígeno y el hidrógeno. ¿Y la sal? Está hecha de dos elementos: sodio y cloro. ¿Quieres aprender a "deshacer" el agua del mar y ver el hidrógeno del agua y el cloro de la sal con tus propios ojos? ¡Enséñaselo a tus amigos en la playa con un vaso de plástico, dos lápices y una pila!

## ¿QUÉ NECESITAS?

- Vaso de plástico transparente
- Agua de mar o agua salada
- Dos lápices
- Sacapuntas
- Tijeras
- Hilo de cobre
- Pila de nueve voltios (9V)
- Plastilina

## ¡Experimenta!

¿Quieres ver cómo se "rompe" el agua marina y se separan el hidrógeno y el cloro?

**1** Corta en casa dos trozos de hilo de cobre, de un palmo de largo, y pela las puntas para que se vean los hilillos brillantes. Puedes hacerlo con unas tijeras con la ayuda de un adulto.

**2** Una vez en la playa, llena el vaso con agua del mar y busca un lugar estable donde apoyarlo, para que no se caiga.

**3** Pega los hilos de cobre por un extremo, con plastilina, a los dos bornes de una pila de nueve voltios (las cuadradas).

# PIENSA COMO UN CIENTÍFICO

¿Por qué aparecen las burbujas en las puntas de los lápices?

El agua está formada por millones de pequeñísimas partículas, las moléculas de agua. A su vez, cada una de estas moléculas está compuesta por tres pequeñas bolitas pegadas que se llaman átomos: dos átomos de hidrógeno (H) y uno de oxígeno (O). A la sal le pasa lo mismo. En ella se unen átomos de sodio y de cloro.

Cuando conectas los lápices a la pila y los introduces en el agua salada se produce una corriente eléctrica: un montón de electrones salen de la pila, recorren el hilo, pasan por el lápiz y se zambullen en el agua nadando velozmente hacia la mina del otro lápiz y el otro hilo para meterse de nuevo en la pila. ¡Has creado una montaña rusa para electrones!

Por el camino, los electrones se encuentran con las moléculas de agua, y sus átomos, y los que componen la sal, se separan y se vuelven a juntar de forma diferente. Es como cuando en el baile de la fiesta dicen "¡CAMBIO DE PAREJA!". Cuando los hidrógenos se juntan de dos en dos forman un gas, igual que cuando se juntan los cloros, y suben a la superficie cada uno por su lado ¡formando esas burbujitas tan divertidas!

## Para seguir investigando

Repite el experimento con diferentes cantidades de sal, incluso sin sal, con agua del grifo, con agua destilada... Verás que, en cada caso, la cantidad de burbujas que se produce es diferente. El agua destilada no conduce la electricidad, así que los electrones no la pueden atravesar. Por eso necesita sal, que la convierte en conductora de electricidad. Pero el agua del grifo tiene disueltas otras sustancias que sí son conductoras, y por eso, sin añadir sal, también permite que se formen las burbujitas... aunque muchas menos que antes.

### Cohetes a la Luna

El proceso que acabas de realizar en la playa con un par de lápices es el mismo que se utiliza para obtener hidrógeno en la industria. Los fabricantes lo almacenan en grandes bombonas que luego se emplean, por ejemplo, para llenar los tanques de combustible de los cohetes. ¡El cohete que llevó a los primeros astronautas hasta la Luna usó una mezcla de hidrógeno y oxígeno para impulsarse hasta allí!

**4** Saca punta a dos lápices por los dos extremos, para que la mina asome bien tanto por delante como por detrás.

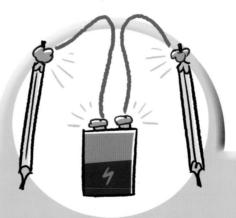

**5** Pega cada lápiz, por una de sus puntas, al extremo libre de cada hilo de cobre. Utiliza la plastilina de nuevo para hacerlo.

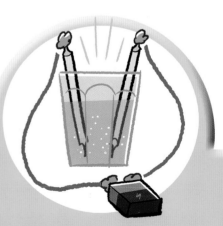

**6** Introduce los dos lápices, con cuidado, en el vaso de agua. ¡Fíjate bien! Se ven unas burbujitas saliendo de las puntas sumergidas en el agua. ¡Son el hidrógeno y el cloro!

# ¡Ay que te como!

La existencia de plantas carnívoras o insectívoras no es un mito... es, como verás, una realidad. Eso sí, estas plantas, que viven en zonas pantanosas o muy húmedas, son inofensivas para nosotros.

El hecho de que una planta sea carnívora no significa que deje de ser autótrofa, ya que continúa haciendo la fotosíntesis.

## ¿QUÉ NECESITAS?

- Venus atrapamoscas
- Lupa de unos cuatro aumentos
- Palillo o palito fino

## ¡Experimenta!

¿Quieres observar de cerca algunos de los mecanismos que utilizan estos vegetales para cazar?

**1**

Consigue una Venus atrapamoscas (*Dionaea muscipula*).

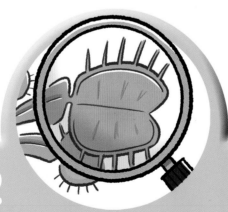

**2**

Observa con atención (mejor con una lupa) los tres pelos que aparecen en cada uno de los dos lóbulos del interior de sus hojas trampa.

**3**

Toca con la punta de un palillo, primero sólo uno de estos pelos y al cabo de 20 segundos otro, verás que no ocurre nada.

# ⚛ PIENSA COMO UN CIENTÍFICO

¿Cuál es la causa de que un ser estático, como una planta, pueda atrapar a un ágil insecto?

¿Por qué es necesario tocar al menos dos pelos para que haya respuesta?

¿Por qué se dedican a cazar insectos?

El secreto de su habilidad para cazar pequeños insectos radica en la velocidad con que son capaces de cerrar sus hojas trampa, aunque todavía no se conoce exactamente cómo funciona dicho mecanismo.

Si sólo se roza uno de los pelos la planta no responde para evitar un gasto inútil de energía, pues no es seguro que se trate de un insecto.

La caza de insectos no es por diversión o para defenderse de los mismos; es un mecanismo para conseguir nitrógeno, pues el medio donde viven es pobre en nitratos. El nitrógeno es un elemento imprescindible para la vida, ya que interviene en la formación de las proteínas y los ácidos nucleicos, entre otros.

## Otras plantas carnívoras

Existen varias especies más de plantas carnívoras que utilizan otras técnicas de caza, como hojas pegajosas, pequeños tentáculos adhesivos que rodean e inmovilizan al insecto u hojas en forma de botella que atraen a los insectos con olores atractivos para que, una vez dentro, no puedan salir.

Las especies de los géneros *Pinguicula*, *Drosera*, *Nepenthes*, *Sarracenia* y *Utricularia* son un buen ejemplo.

### Una de ciencia ficción

Probablemente habrás visto alguna vez películas donde plantas carnívoras gigantes atrapan y devoran a seres humanos, como en Jumanji, La tienda de los horrores o La semilla del espacio. No existen tales especies gigantes, aunque si existieran probablemente podrían atrapar animales de un tamaño considerable.

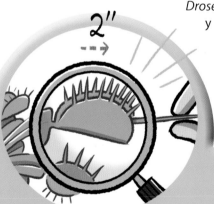

2"

A continuación toca dos pelos a la vez o primero uno y dos segundos más tarde otro. ¡Sorpresa! ¡La trampa se pone en funcionamiento!

## Contra las tos... ¡una ración de planta carnívora!

Las secreciones pegajosas de algunas plantas carnívoras (como *Drosera*) se utilizan en medicina, pues contienen sustancias bactericidas, expectorantes y antiespasmódicas. En otras palabras, sirven para curar la tos.

# ¿Cuánta agua lleva el río?

A lo largo de su recorrido los cauces pueden transportar un volumen de agua (caudal) continuo a lo largo de todo el año, discontinuo o temporal, cuando el flujo cesa durante una parte del año, o efímero, cuando el agua circula en algunas ocasiones (torrentes y ramblas). Estas fluctuaciones del caudal están relacionadas con la forma de nutrición de los cauces. Realizando unas medidas y unos cálculos simples podrás determinar el caudal de un curso de agua.

## ¿QUÉ NECESITAS?

- Objeto flotante (puede ser una bola de ping-pong, una botella de plástico pequeña, una rama, un trozo de madera, un tapón de corcho...)
- Reloj o cronómetro
- Cinta métrica
- Regla o tabla de madera graduada

## ¡Experimenta!

El caudal de un río es el volumen de agua que circula por su cauce en un lugar y tiempo determinados. Calculando la velocidad del agua y la sección del cauce podrás saber cuánta agua pasa por un punto determinado de un río. Ponte las botas y ¡a trabajar!

**1** Selecciona en el río un tramo uniforme, sin piedras grandes, ni troncos de árboles, en el que el agua fluya libremente, sin turbulencias, ni impedimentos.

**2** Para determinar la velocidad del agua aplica el método del objeto flotante, que consiste en medir el tiempo que tarda un objeto flotante en recorrer, corriente abajo, una distancia conocida (mide la distancia con la cinta métrica).

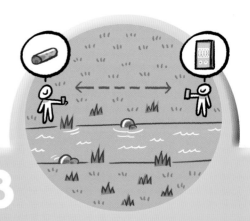

**3** Una persona se ubica en el punto A con el objeto flotante y otra en el punto B con el reloj o cronómetro. Mide el tiempo que tarda el objeto en llegar al punto B. Te recomendamos realizar un mínimo de 3 mediciones y calcular el promedio así: velocidad= distancia (A-B)/ tiempo recorrido.

# PIENSA COMO UN CIENTÍFICO

El método del flotador es una buena aproximación para el cálculo del caudal de un curso de agua, pero ten en cuenta que con este método se cometen diferentes errores: la velocidad del agua no es la misma en todos los puntos, ni en la vertical ni en la horizontal debido al rozamiento de las orillas, fondo y aire. Para evitar este error, los científicos utilizan molinetes o medidores ultrasónicos que permiten determinar con mayor exactitud la velocidad del agua en cada zona del río. Estos últimos son muy precisos ya que realizan medidas de la velocidad del agua e incluso del caudal a través de pulsos sonoros o por el eco que producen las burbujas de agua.

## Demasiada agua

Las inundaciones son una de las catástrofes naturales que mayor número de víctimas producen en el mundo. Se ha calculado que en el siglo xx unos 3,2 millones de personas perdieron la vida por este motivo, lo que es más de la mitad de los fallecidos por desastres naturales en el mundo en ese período. En muchas ocasiones, los daños personales y materiales se podrían evitar planificando correctamente la ocupación del territorio y no permitiendo la construcción de viviendas en las zonas de inundación natural de los ríos y torrentes.

## Para seguir investigando

Si quieres ser más preciso en tus cálculos, realiza mediciones en diferentes ubicaciones a lo largo del río. A no ser que haya un aporte de agua entre los puntos de medición el caudal debería ser el mismo. Ya verás que eso no ocurrirá así que si quieres obtener un único dato tendrás que hacer la media aritmética de las mediciones realizadas. También es recomendable realizar las mediciones del caudal del río en diferentes épocas para tener registros de los valores mínimos, máximos e intermedios y conocer más de cerca el comportamiento del río en diferentes épocas.

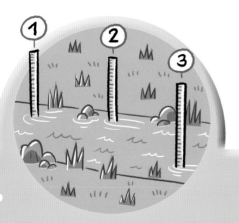

**4** Ahora tienes que medir el área de la sección transversal del río multiplicando anchura por profundidad, pero como la profundidad no es la misma en toda la sección te recomendamos que hagas diferentes medidas en distintos puntos y utilices para el cálculo la profundidad promedio. Área sección transversal = ancho x profundidad promedio.

**5** Finalmente, determina el caudal del río multiplicando los datos que has obtenido en los pasos anteriores; Caudal ($m^3/s$) = velocidad del agua (m/s) x área de la sección transversal ($m^2$).

## El río más caudaloso del mundo

El Amazonas transporta más agua que el Misisipi, el Nilo y el Yangtsé juntos. El volumen de agua llevado hacia el Atlántico es enorme: con un promedio anual de 230.000 $m^3/s$, alcanza hasta 300.000 $m^3/s$ en la temporada lluviosa. Aporta tanta agua al mar que la salinidad del océano Atlántico es notablemente inferior en un radio de varios miles de kilómetros alrededor de su desembocadura. Compara el caudal obtenido en tu río con el del Amazonas: ¿crees que hay mucha diferencia?

# El guardián del tiempo

¿Qué hora es? Fácil. Lo miras en el reloj, o en el móvil, y ya está. Pero cuando estás en la playa, a veces es difícil averiguarlo, porque el reloj y el móvil se han quedado dentro de una bolsa, debajo de un montón de toallas, para que no se llenen de arena. Si quieres sorprender a tus amigos, construye tu propio reloj de sol. Necesitarás un día entero... ¡pero al día siguiente serás el auténtico guardián del tiempo!

## ¿QUÉ NECESITAS?

- Diez conchas
- Rotulador permanente
- Una piedra

## ¡Experimenta!

¿Quieres crear tu propio reloj de sol?

**1**

Busca diez conchas y escribe con el rotulador permanente una hora distinta en cada una de ellas: 10, 11, 12, 1, 2, 3, 4, 5, 6 y 7. Desde las 10 de la mañana hasta las 7 de la tarde.

**2**

Busca un rincón de la playa despejado, soleado, lejos del agua y de las rocas, y por donde no pase mucha gente, para que cuando vuelvas al día siguiente tu reloj siga allí.

**3**

Haz una señal en la arena que será el centro de tu reloj. Pon, por ejemplo, una piedra o algo que luego puedas encontrar fácilmente.

# PIENSA COMO UN CIENTÍFICO

¿Cómo mide el paso del tiempo el reloj de sol?

La Tierra da vueltas en el espacio como una peonza, girando alrededor de sí misma. Y da una vuelta cada día. Por eso durante la mitad del día ves el Sol y es de día, y la otra mitad no lo ves y es de noche. Como tú estás en la Tierra a ti te parece que el que se mueve es el Sol, igual que cuando vas en coche parece que se mueva el paisaje.

En su aparente camino por el cielo, el Sol amanece por el este, en el horizonte, bien temprano y, como está muy bajito, provoca unas sombras muy alargadas. Luego va subiendo hacia arriba y la sombra va girando hasta que, al mediodía, en verano, el Sol está sobre tu cabeza y la sombra que provoca en el palo es mínima. Luego vuelve a seguir su camino bajando hacia el oeste, y la sombra se va alargando hacia el otro lado del palo. Al día siguiente, como el recorrido del Sol será prácticamente el mismo, la forma de las sombras se repetirá a las mismas horas que tú marcaste con tus conchas.

## Para seguir investigando

También puedes construir un reloj de sol en algún lugar de tu casa que esté soleado durante muchas horas seguidas. Puedes hacerlo con una cartulina para marcar las horas, un bolígrafo como palo o "gnomon" (que es el nombre que recibe el palo de un reloj de sol) y plastilina para fijar el bolígrafo. Comprueba las horas cada diez días: ¡verás que tu reloj de sol pierde precisión y las sombras van cambiando! Eso es porque el camino que sigue el Sol en el cielo varía a lo largo del año.

### Relojes de sol

Antiguamente todos los relojes eran de sol. Fíjate en las casas antiguas. ¡Muchas de ellas tienen un reloj de sol en la fachada! Y además es prácticamente igual que el tuyo: un palo y unas marcas que indican la hora que es.

TEMPUS FUGIT

**4** Cuando sea una hora en punto, por ejemplo las 10h, ponte en el lugar que marca el centro del reloj. Fíjate bien dónde cae la sombra de tu cabeza y pon ahí una concha marcada con el número 10.

**5** Repite el paso anterior cada hora, de manera que las conchas coincidan siempre con los extremos de las sombras de tu cabeza.

**6** Vuelve a la playa al día siguiente. Te bastará con ponerte en el centro, donde está la piedra, y buscar la sombra de tu cabeza para saber qué hora es. Si está justo a la mitad de dos conchas será la hora "y media".

# Ciencia de andar por casa

# El aire inquieto

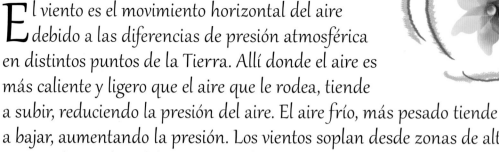

El viento es el movimiento horizontal del aire debido a las diferencias de presión atmosférica en distintos puntos de la Tierra. Allí donde el aire es más caliente y ligero que el aire que le rodea, tiende a subir, reduciendo la presión del aire. El aire frío, más pesado tiende a bajar, aumentando la presión. Los vientos soplan desde zonas de alta presión (anticiclones) hacia zonas de baja presión (ciclones). En este experimento podrás observar este proceso utilizando agua caliente y agua fría, por lo que las conclusiones obtenidas las podrás aplicar igualmente al movimiento de masas de agua en los océanos.

## ¿QUÉ NECESITAS?

- Dos botellas de plástico
- Dos tubos de plástico
- Dos recipientes
- Dos clips o pinzas
- Plastilina
- Colorante alimentario
- Hielo
- Agua caliente
- Punzón
- Taladro
- Tijeras

## ¡Experimenta!

Pide ayuda a un adulto para realizar las operaciones que puedan ser peligrosas y anímate a simular el movimiento del aire en la atmósfera.

**1** Corta la parte superior de las botellas. Haz dos agujeros, uno arriba y otro abajo, a la misma altura en las dos botellas.

**2** Corta dos tubos de la misma longitud. Insértalos en los agujeros de las botellas y sella las juntas con plastilina.

**3** Pon agua caliente en uno de los recipientes y hielo en el otro y coloca las botellas dentro de cada recipiente. Haz esta operación con cuidado para que no se separen los tubitos de las botellas.

# PIENSA COMO UN CIENTÍFICO

El calor crea corrientes ascendentes en la botella caliente y corrientes descendentes en la botella con hielo. Al quitar los clips el agua pasa de la botella fría a la caliente por el tubo inferior y regresa por el superior cuando se calienta. Los vientos y las corrientes marinas actúan igual: se mueven de las zonas frías a las calientes en el nivel inferior.

## Para seguir investigando

Puedes realizar una variante de este experimento sumergiendo un recipiente pequeño con agua caliente coloreada dentro de un recipiente mayor con agua fría. Si retiras rápidamente la tapa del frasco pequeño observarás que el agua caliente coloreada sale hacia la superficie y después comienza a bajar lentamente y a mezclarse con el resto del agua. El agua caliente es menos densa, es decir, menos pesada y al ser más ligera, sube hacia la superficie. Es por esto que el agua caliente con la tinta flota sobre el agua fría, y sólo cuando ésta pierde su calor, comienza a mezclarse con el agua fría.

## Una fuente de energía

La energía eólica sirve para transformar el viento en electricidad. Esto es gracias a los aerogeneradores, grandes molinos de entre 40 y 50 metros de altura y con hélices de hasta 23 metros de diámetro. La fuerza del viento hace que se mueva la hélice del aerogenerador que, gracias al rotor de un generador, convierte esta fuerza en energía eléctrica. En su parte posterior, una veleta lo orienta para saber de dónde viene el viento.

**4** Pinza los tubos con clips o con una pinza y llena las botellas con agua de diferentes colores.

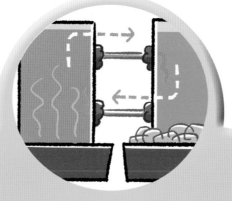

**5** Saca las pinzas a la vez y observa qué pasa.

## Un viento mortal

Los huracanes son grandes ciclones tropicales que provocan vientos muy fuertes, olas extremadamente grandes, tornados y lluvias torrenciales, que pueden producir inundaciones y corrimientos de tierra. Se desarrollan sobre extensas superficies de agua cálida y pierden su fuerza cuando penetran en la tierra. Es por esto que las zonas costeras son dañadas de forma significativa por los ciclones tropicales, mientras que las regiones interiores están relativamente a salvo de recibir fuertes vientos.

# Saltos cuánticos

¡La física cuántica está llena de misterios! Las partículas más pequeñas pueden estar en varios sitios a la vez y dar saltos cuánticos en los que desaparecen de un sitio y aparecen en otro. Un mundo muy extraño que sólo pueden observar los mejores científicos... ¡como tú! ¿Te atreves a adentrarte en el universo de la física cuántica?

## ¿QUÉ NECESITAS?

- **Un DVD**
- **Bombillas de bajo consumo**

## ¡Experimenta!

¿Quieres ver con tus propios ojos un efecto directo de los saltos cuánticos?

**1** Enciende la bombilla de bajo consumo, apaga las demás luces y sitúate lo más lejos que puedas de ella. Cuanto más pequeña veas la bombilla, mejor se contemplará el resultado del experimento.

**2** Coge el DVD y acerca el lado brillante, el que no tiene letras ni dibujos impresos, todo lo que puedas a tu ojo derecho. Colócalo como si fuera un parche delante del ojo.

**3** Sitúate dándole la espalda a la bombilla. Inclina el DVD ligeramente hasta observar el reflejo de la bombilla en el DVD, como si fuera un espejo retrovisor.

# PIENSA COMO UN CIENTÍFICO

¿Por qué están separadas las líneas brillantes de colores?

¿Todas las líneas están separadas a la misma distancia?

¿Qué diferencias ves al observar bombillas de diferentes tipos?

Las bombillas de bajo consumo emiten luz cuando unas partículas diminutas que hay en su interior, los electrones, caen de una altura a otra en su viaje por el interior de los átomos. Se tiran por una especie de toboganes, pero… ¡sorpresa!, en lugar de deslizarse por el tobogán como harías tu… ¡desparecen de la parte de arriba y aparecen misteriosamente en la parte de abajo! Es un ¡salto cuántico! Cada salto cuántico se ve de un color en el reflejo de tu DVD y cada color depende de la altura del tobogán.

El DVD es como un espejo formado por cientos de pequeñas rayitas microscópicas que descomponen la luz en los colores que la forman. La luz de las bombillas es blanca, pero es la suma de luces de diferentes colores. Si la bombilla es de incandescencia, de las antiguas, o de LED, verás todos los colores como un arco iris; pero si la bombilla es de bajo consumo o es un tubo fluorescente, ¡verás esas líneas brillantes que emiten los electrones en los saltos cuánticos!

## ¿De qué están hechas las estrellas?

Con el DVD has construido un auténtico espectroscopio, un aparato científico que permite observar los colores que componen la luz. Los astrónomos utilizan espectroscopios parecidos al tuyo para analizar la luz de las estrellas y averiguar de qué gases están hechas. Cada gas tiene una "firma" de rayas de colores llamada espectro, que es única, como tu propia firma. Cuando las bombillas emiten luz blanca formada sólo por unos cuantos colores gastan muy poca energía, por eso se llaman de bajo consumo. En las bombillas antiguas mucha de esa energía se desperdiciaba, emitiendo calor además de luz. Por eso gastan mucha más electricidad que las de bajo consumo. El último invento en bombillas son las LED, que gastan muy poquita energía y, sin embargo, pueden emitir luz con todos los colores del arco iris.

### El planeta HD189733b

Gracias a los espectroscopios del telescopio espacial Hubble, científicos de la NASA han descubierto un planeta azul como el nuestro, a 63 años luz de distancia. En lugar de agua, en él podemos encontrar ¡vidrio líquido a 1.000 grados de temperatura! Le han puesto un nombre un poco difícil de recordar: HD189733b.

**4**

Mantén la imagen de la bombilla en el lado derecho del DVD y observa atentamente la zona de la izquierda del disco. Verás unas líneas brillantes de colores, separadas entre sí y ¡provocadas por los saltos cuánticos de los electrones!

## Para seguir investigando

Si en la calle hay farolas con una luz amarillenta, probablemente contienen un gas llamado sodio en su interior. Puedes observarlas con tu DVD- espectroscopio. Si es sodio verás una línea amarilla muy brillante separada de las demás. Pídele un DVD a un amigo cuando estés en su casa y averigua si sus bombillas son o no son de bajo consumo, como si fueras un adivino. ¡Lo sorprenderás!

# Las joyas de la corona

En algún recóndito cajón en casa de tus abuelos seguro que hay una vieja cucharilla de plata que alguien compró de recuerdo, o un collar de plata de cuando tu abuela tenía veinte años. ¡Plata! Se supone que es un metal precioso con un brillo muy bonito... pero esa cucharilla y ese collar tienen unas manchas negras muy feas. ¡Sorprende a todos dejándolos como nuevos!

## ¡Experimenta!

¿Estás preparado para convertirte en un restaurador de metales preciosos?

### ¿QUÉ NECESITAS?

- Objeto de plata ennegrecido por el paso del tiempo (una joya antigua, una pieza de cubertería, etc.)
- Bandeja de aluminio (de las desechables para cocinar al horno)
- Tazón
- Agua
- Sal
- Bicarbonato sódico
- Guantes de fregar

**1** Pon a calentar un tazón con agua en el microondas, a toda potencia, durante un minuto y medio.

**2** Sácalo con cuidado (mejor pide ayuda a un adulto porque podrías quemarte), añade un par de cucharadas de sal y otras dos de bicarbonato y remueve muy bien.

**3** Coloca la cucharilla o las joyas de plata en la bandeja de aluminio.

# PIENSA COMO UN CIENTÍFICO

¿Cómo se han formado esas manchas negras y por qué desaparecen con tu experimento?

Al cabo de los años, la plata ha reaccionado con un gas que hay en el aire: el sulfuro de hidrógeno, compuesto por azufre e hidrógeno. Al reaccionar, el azufre se combina con la plata y crea esas manchas negras. Cuando introduces la plata en un recipiente con agua caliente, aluminio y bicarbonato, se produce una reacción química que separa el azufre de la plata y lo combina con el aluminio de la bandeja, gracias a la presencia del bicarbonato. La sal y el calor del agua hacen que todo suceda más deprisa.

## Para seguir investigando

Puedes hacer el experimento al revés y envejecer una joya nueva, para luego volverle a dar su aspecto brillante… ¡aunque si sale mal es más arriesgado! Para ello tienes que introducir la joya en una bolsa de plástico con dos huevos duros recién hechos abiertos por la mitad. ¡El vapor de azufre que desprenden los huevos reaccionará con la plata y la oscurecerá!

## Joyeros profesionales

Los joyeros utilizan ésta y otras reacciones químicas para limpiar las monedas antiguas y las joyas de plata, oro o piedras preciosas. Cada sustancia química tiene unas propiedades diferentes, y se combinan con las sustancias adecuadas para hacer desaparecer las manchas negras y devolver el brillo a la pieza.

4

Cúbrelas con el agua caliente de la taza y déjalas reposar. ¡Al cabo de unas horas la plata estará totalmente limpia y brillante! Utiliza guantes para sacar la plata de la bandeja.

## El León de Lidia

Si al buscar por los cajones de tu abuela encuentras una moneda con la cabeza de un león dibujada eres muy afortunado: es el León de Lidia, la moneda más antigua del mundo: ¡la fabricaron los antiguos griegos con oro y plata hace 2.600 años!

# ¿Quieres ver el ADN?

El ADN es el portador de toda la información necesaria para dar lugar a un ser vivo. Todos los caracteres que te hacen único están en tu ADN. Cada uno de tus más de 50 billones de células tiene 23 pares de moléculas de ADN en forma de cromosomas.

## ¿QUÉ NECESITAS?

- **Muestra biológica: puede ser medio plátano, un par de fresones, un tomate mediano, una cebolla pequeña, un hígado de pollo, etc.**
- **Agua destilada o mineral**
- **Alcohol de 96º (que deberás poner una hora antes en el congelador)**
- **Detergente líquido (lavavajillas)**
- **Sal común**
- **Batidora**
- **Varilla de vidrio o plástico**
- **Vaso muy estrecho (tipo tubo de ensayo)**
- **Vaso de agua**
- **Recipiente con medidor (como una jeringuilla de inyecciones)**
- **Colador fino o filtro de café**

## ¡Experimenta!

¿Te parece imposible observar en casa las microscópicas moléculas de ADN? Vas a comprobar que esto es posible.

**1**

Coloca en un vaso unos 30 ml de agua destilada o mineral y añade una cucharada y media de lavavajillas y una cucharada de sal. Deposita el vaso en un recipiente con hielo para mantener la mezcla fría.

**2**

Introduce en el vaso de la batidora la muestra biológica escogida, cortada en trocitos, y añade una cucharada de agua destilada o mineral. Tritura su contenido durante unos 10 o 20 s a intervalos discontinuos.

**3**

Añade el triturado, que debe ser espeso, al vaso anterior que tenías enfriando. Agita suavemente la mezcla durante unos 5 min., procurando que no se forme espuma; después pasa la mezcla por el colador.

# PIENSA COMO UN CIENTÍFICO

Recuerda que el ADN está protegido en el interior del núcleo de las células.

¿Para qué crees que sirve la batidora?

¿Cual es la función del detergente, de la sal y del alcohol?

La batidora rompe las membranas celulares.

El lavavajillas rompe las membranas nucleares, ya que los detergentes atacan las grasas y éstas forman parte de las membranas biológicas.

La sal impide que las proteínas se unan al ADN y lo aglutinen.

El alcohol hace precipitar el ADN manteniendo sus moléculas estiradas.

## Futuro prometedor

Este método perfeccionado permite obtener ADN puro a partir del cual podemos saber a qué individuo concreto pertenece ¡y sólo a partir de una pequeñísima muestra, como una gotita de saliva! Las aplicaciones prácticas son inmensas tanto en medicina y biología, como en criminología o paleontología. ¡Incluso parece ser que la molécula de ADN será el mejor disco duro del futuro!

### ¡Jurassic Park es posible!

A partir del ADN de organismos fosilizados se pueden llegar a reconstruir especies desaparecidas como los mamuts o los dinosaurios.

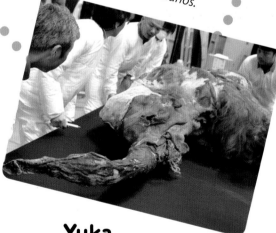

## Yuka

En el verano de 2010 unos científicos encontraron en los hielos de Siberia los restos de una cría de mamut a la que bautizaron con el nombre de Yuka. Aunque murió hace unos 39.000 años, sus restos están muy bien conservados y contienen tejidos orgánicos que conservan su ADN. Los científicos se han propuesto separar su ADN para intentar clonarlo y conseguir recuperar esta especie que se extinguió hace unos 6.000 años.

**4** Con una jeringuilla separa 5 ml de la mezcla e introdúcelos en un vaso muy delgado. Añade 5 ml de alcohol de 96° muy frío, dejándolo resbalar lentamente por la pared del tubo, que debe estar inclinado unos 45°, de manera que quede flotando sobre la mezcla. Deja reposar el tubo en posición vertical hasta que se forme una zona turbia entre las dos capas.

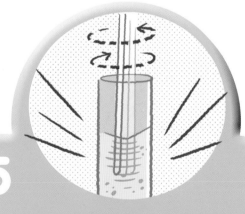

**5** Introduce la varilla hasta la zona turbia y remuévela lentamente durante un minuto cambiando alternativamente el sentido de la rotación. Verás que se forma una masa blanquecina de aspecto algodonoso sobre la varilla: ¡enhorabuena, has conseguido aislar ADN!

# Erupción inminente

Una erupción volcánica es la salida al exterior de magma, que está formado por roca fundida y gases de diferentes tipos (vapor de agua, azufre, nitrógeno...). Los volcanes así formados pueden ser de diferentes tipos, pero su origen y el camino del magma hasta la superficie son muy parecidos en todos ellos. En el manto superior, normalmente sólido, hay zonas parcialmente fundidas que, al ser de menor densidad que la roca que tienen a su alrededor, tienden a ascender y a emplazarse en el interior de la corteza o pueden llegar a la superficie y formar un volcán.

## ¡Experimenta!

## ¿QUÉ NECESITAS?

- Cera de vela de color rojo
- Vaso de precipitados de 500 ml o un cazo transparente (de cristal)
- Fuente de calor (placa calefactora o fuego)
- Arena lavada
- Agua fría
- Cuchara

¿Quieres saber cómo asciende el magma desde el interior de la Tierra? Realiza estos pasos con el material adecuado y lo entenderás.

**1**

Pon un trozo de cera roja de 1 cm de grosor, aproximadamente, en el fondo de un cazo transparente o vaso de precipitados.

**2**

Calienta el recipiente, con la ayuda de un adulto, hasta que la cera se funda. Cuando esté toda la cera fundida aparta el recipiente de la fuente de calor y deja que se enfríe.

**3**

Añade 1 cm de arena limpia, formando una capa uniforme sobre la cera enfriada.

# PIENSA COMO UN CIENTÍFICO

¿Cómo podemos explicar lo que ha ocurrido? ¿Qué le ha pasado a la cera una vez fundida? ¿Por qué crees que pasa esto? ¿Qué representa cada material utilizado en la realidad?

La arena y el agua representan capas de la corteza terrestre. La cera representa el manto superior, normalmente sólido, pero que puede estar parcialmente fundido en algunos lugares. De la misma forma que la cera sube a causa de su densidad más baja que la del material que la rodea, el magma puede ascender hasta intruir en la corteza o llegar a la superficie y formar una colada de lava.

## Para seguir investigando

Este modelo se puede relacionar con la teoría de la tectónica de placas. Investiga en qué tipo de límite de placas se produce esta forma de erupciones y busca fotos por Internet de paisajes formados por mesetas volcánicas.

### Erupciones sin volcanes

La cera que llega a la superficie es muy móvil y se extiende formando una capa que simula las llamadas "mesetas basálticas", como las de Islandia o las de Antrim (Irlanda del Norte), en que enormes volúmenes de lava salieron no de volcanes puntuales sino de fisuras.

## Cuando el magma se mueve, la Tierra tiembla

En todas las zonas volcánicas de la Tierra se registran siempre terremotos de poca magnitud, pero que inquietan a la población. Esto se debe a que en el proceso de intrusión (ascensión) magmática, los líquidos y gases del magma presionan la corteza oceánica buscando una vía de escape, lo cual genera una fractura que provoca un movimiento sísmico. Gracias a estos pequeños seísmos y a otros indicios, los geólogos pueden prever las erupciones y avisar a la población para que se ponga a salvo.

**4** Añádele agua fría (mejor de la nevera) hasta unos tres cuartos de la capacidad del recipiente. Introduce una cuchara e intenta que el agua no caiga directamente sobre la arena haciendo que el chorro la toque antes de impactar contra la arena. De esta manera la arena no se moverá.

**5** Pon de nuevo el cazo con la cera, la arena y el agua al fuego o sobre la fuente de calor.

**6** Finalmente observarás que la cera asciende atravesando la arena y el agua, tal y como lo haría la lava a través del interior de la Tierra hasta alcanzar la superficie.

# El espejo con superpoderes

Seguro que hoy, como cada mañana al levantarte, te has mirado al espejo. ¡Qué cara de sueño! ¿Te has fijado que no todos los espejos son iguales? Algunos espejos permiten ver las cosas muy ampliadas y son ideales para maquillarse y afeitarse. Seguro que en casa tienes uno de estos espejos. Búscalo y descubre lo que nadie en casa sabe... ese espejo tiene ¡superpoderes!

## ¿QUÉ NECESITAS?

- Espejo de aumento o cosmético (cóncavo)
- Hoja de papel blanco
- Cartulina negra

## ¡Experimenta!

¿Quieres ver cómo el espejo es capaz de agujerear una cartulina sin tocarla?

**1**
Sal al balcón con el espejo y la cartulina negra en un día soleado. Coge el espejo con una mano y colócalo de manera que apunte hacia el Sol. Recuerda que no debes mirar directamente al Sol, es peligroso.

**2**
Coge la cartulina con la otra mano y colócala frente al espejo, a un palmo de distancia aproximadamente, pero sin que tape al Sol. La luz del sol ha de llegar hasta el espejo para poder reflejarse.

**3**
Proyecta la imagen del Sol en la cartulina. Para conseguirlo, gira ligeramente el espejo hasta que se forme una mancha de luz en ella y luego acércalo o aléjalo poco a poco hasta que se convierta en una redonda pequeña y muy nítida.

 **PIENSA COMO UN CIENTÍFICO**

¿De dónde viene el calor que ha agujereado el papel?

Repite el experimento con una hoja de papel blanco. ¿Qué sucede?

Los espejos normales son planos. Reflejan la luz y la desvían de manera que parece que venga desde el otro lado, desde detrás. Por eso te ves reflejado. La imagen parece real, pero no lo es, ya que detrás del espejo no hay nada. ¡Pero el espejo de aumento es muy diferente! Si lo tocas con la palma de la mano verás que está hundido, que no es plano. Esa forma refleja la luz creando imágenes delante del espejo. El espejo concentra la luz formando una imagen del Sol tan real ¡que es capaz de quemar el papel y agujerearlo!

El color blanco refleja mucha luz, y no deja que el calor penetre en el papel. Por eso el papel blanco tarda más en quemarse que el papel negro. El color negro absorbe la luz y toda su energía, por eso el papel negro se quema antes. ¿Por qué crees que en verano se lleva más la ropa de color claro o que las casas de los pueblos en las regiones más calurosas son blancas?

## Para seguir investigando

Puedes ver lo reales que son las imágenes que se forman frente al espejo si te sitúas delante, a medio metro o más, hasta que veas tu cara reflejada boca abajo. Ahora pon la mano delante de tu nariz y acércala hacia el espejo con el dedo índice apuntando hacia delante. ¡La imagen de la mano es tan real que se sale del espejo y viene apuntando hacia ti! ¡Parece que hasta la puedes tocar!

4

Con ayuda de una persona mayor, espera pacientemente con el pulso firme unos segundos. Verás cómo empieza a salir humo de la brillante imagen del Sol. Ten cuidado, porque los rayos de luz queman. El espejo ha concentrado los rayos y ha conseguido ¡agujerear la cartulina!

### ¡Cuidado con el Walkie Talkie!

Si vas a Londres… ¡ten cuidado con un rascacielos llamado Walkie Talkie! Los arquitectos se han dado cuenta de que los cristales de la fachada tienen forma de espejo de aumento, y el reflejo del Sol ¡ya ha derretido el retrovisor de un coche y ha quemado la alfombra de una peluquería que hay enfrente!

### Espejos para generar electricidad

Espejos como éste, pero grandes como un autobús y agrupados en miles, se utilizan para concentrar el calor del Sol y generar electricidad. Se llaman centrales solares térmicas. El calor se concentra sobre una caldera con agua hasta hacerla hervir. El vapor de agua sale a presión y mueve una turbina, una especie de ventilador gigante que, al girar, crea corriente eléctrica que llega hasta los enchufes de tu casa.

# ¡Me quedé sin pegamento!

E s el domingo perfecto para hacer manualidades. Lo tienes todo, la cartulina, las tijeras, esos plásticos de colores, unos tapones de corcho... Vas a pegar las piezas pero ¡oh, no! ¡No tienes pegamento! No te preocupes, ¡vas a fabricar tu propio pegamento en unos minutos!

## ¡Experimenta!

### ¿QUÉ NECESITAS?

- Cazo
- Harina
- Agua

¿Quieres saber cómo fabricar pegamento casero?

**1** Llena el fondo de un cazo con cuatro o cinco cucharadas soperas de harina y añade un poco de agua tibia, ni muy caliente ni muy fría.

**2** Remuévelo con las manos y ves añadiendo agua hasta que quede una pasta ligera, un poco líquida.

**3** Con ayuda de un adulto, pon el cazo a calentar y remueve poco a poco hasta que hierva.

# PIENSA COMO UN CIENTÍFICO

**¿Por qué pega la mezcla de harina y agua?**

La harina de trigo, al igual que otros alimentos, como las patatas o el arroz, contiene un compuesto químico llamado almidón. Si lo pudieses observar con un microscopio muy potente verías una estructura rígida, como esos "castillos" que hay en el parque a los que te puedes subir para jugar. Cuando se disuelve en el agua caliente reacciona formando un gel y se rompe la estructura rígida: el "castillo" se deshace.

El gel actúa como un pegamento porque, al enfriarse, se vuelve a formar una estructura todavía más rígida que la que tenía, el "castillo" se rehace, expulsa el agua y se vuelve tan sólido que es capaz de pegar papel, corcho o madera con bastante fuerza.

## Construcciones de pegamento

Hace más de mil años, los japoneses y los chinos ya utilizaban el pegamento hecho a partir de almidón, especialmente el de arroz, para juntar los ladrillos y construir edificios, así como para crear adornos para las mujeres.

### El pegamento que no pega

El pegamento que compras en las tiendas también utiliza una reacción química para pegar: necesita reaccionar con el agua que hay en el aire, con la humedad del ambiente. Por eso no se pega a las paredes de dentro del tubo. Sin embargo, cuando está al aire libre entra en contacto con la humedad del aire y se produce la reacción química que le da la fuerza para pegar las cosas.

**4**

**¡Deja enfriar la masa y ya tendrás un pegamento perfecto para tus manualidades!**

## Para seguir investigando

El almidón no sólo está en la harina de trigo. También está, por ejemplo, en el arroz. Prueba a fabricar pegamento casero con arroz. Basta con hervir arroz hasta que quede convertido en una pasta. Luego lo cuelas para que no queden grumos, lo dejas enfriar y ya lo tienes: ¡pegamento de arroz!

# Con los pies en la tierra

Las semillas, cuando caen al suelo, quedan en posiciones muy diversas. Dentro de la semilla ya existen miniaturas de la futura raíz y el futuro tallo. Entonces, si caen al revés... ¿cómo es que el tallo no se hunde en el suelo y la raíz no crece hacia el cielo?

## ¿QUÉ NECESITAS?

- Caja de plástico transparente de unos 30 - 40 cm de largo
- Semillas crudas de alubia; también pueden ser habas, garbanzos o maíz

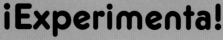

## ¡Experimenta!

¿Quieres observar cómo la raíz siempre crece hacia el interior de la tierra mientras que el tallo siempre se dirige hacia el cielo?

**1** Consigue una caja de plástico transparente y llénala de tierra de jardín o humus.

**2** Escoge al menos cuatro alubias crudas y entiérralas a 1 cm de profundidad en cuatro posiciones diferentes y en contacto con uno de los laterales de la caja, de modo que sean visibles desde fuera.

**3** Riega periódicamente el cultivo, sin que se acumule agua en el fondo, y observa el proceso de germinación.

# PIENSA COMO UN CIENTÍFICO

¿Por qué debes sembrar las semillas en diferentes posiciones?

¿Cómo consiguen las semillas saber hacia donde deben crecer la raíz y el tallo?

Las semillas deben sembrarse en diferentes posiciones para asegurarnos que la futura raíz y el futuro tallo estén situados en cuatro posiciones diferentes. De este modo podrás comprobar que, caigan como caigan las semillas al suelo, raíz y tallo siempre crecerán en la dirección correcta.

Raíz y tallo "saben" hacia dónde dirigirse porque detectan el campo gravitatorio terrestre que aumenta hacia el interior de la tierra y disminuye al alejarnos de la superficie. La raíz es atraída por la gravedad y crece hacia el interior, mientras que el tallo busca la zona de menor gravedad y crece hacia la superficie.

Los científicos denominan a este fenómeno gravitropismo o geotropismo, de modo que la raíz presenta gravitropismo positivo y el tallo gravitropismo negativo.

## Para seguir investigando

Si las plantas detectan la gravedad, ¿cómo crecerán en una nave espacial donde la gravedad es prácticamente cero?

En la Estación Espacial Internacional y en ausencia de gravedad se ha comprobado que las semillas crecen en cualquier dirección del espacio formando una especie de maraña confusa.

## ¿La ingravidez nos afecta a los humanos?

Sí, nos afecta y mucho. Después de un viaje espacial de unos cuantos meses, los astronautas, a pesar de su exhaustiva preparación, pierden glóbulos rojos, masa muscular y masa ósea. Las dos primeras se pueden recuperar al volver a la tierra, pero la masa ósea, de momento, resulta irrecuperable.

## Un caso único: dos gemelos astronautas

Para saber más acerca de los efectos de la ingravidez sobre los humanos, la NASA realizará un experimento innovador con dos hermanos gemelos astronautas: Mark y Scott Kelly. Scott permanecerá durante un año en la Estación Espacial Internacional, mientras que Mark continuará en tierra. Al cabo de este tiempo se analizarán los cambios detectados en los dos hermanos, que son idénticos desde el punto de vista genético. De esta forma, investigando las diferencias que puedan presentar, se espera mejorar el tratamiento para corregir los efectos negativos de la ingravidez en un futuro próximo.

# La botella se aplasta

Estamos rodeados de aire y, aunque no lo sentimos, ese aire ocupa un espacio y ejerce un peso sobre nosotros. En este experimento vamos a usar botellas de plástico para demostrarlo.

A partir de ahora dejarás de decir que esta habitación está vacía, esta botella está vacía, el vaso está vacío... ¡Están llenos de aire!

## ¿QUÉ NECESITAS?

- Botella de plástico de agua mineral de 0,25, 0,5, 1 o 1,5 l de capacidad
- Agua hirviendo
- Agua fría del grifo

## ¡Experimenta!

Sigue estos pasos, con la ayuda de un adulto, y podrás ver cómo el aire cambia su volumen al variar la temperatura.

**1** Calienta agua hasta que hierva (aproximadamente 1/4 l).

**2** Echa el agua en la botella ayudándote de un embudo. Observarás que la botella se arruga un poco por la acción del calor.

**3** Agita un poco la botella para que el vapor de agua ocupe todo el interior y desplace al aire hacia fuera de la botella.

# PIENSA COMO UN CIENTÍFICO

¿Por qué se aplasta la botella? ¿Por qué echamos agua caliente y después enfriamos la botella?

El contacto con el agua caliente hace aumentar la temperatura del plástico que, a su vez, calienta el aire que entra en ella al vaciar el agua. Al cerrar la botella el aire interior se enfría, se contrae y su presión disminuye haciéndose menor que la atmosférica, con lo que esa diferencia de presión oprime al material de plástico haciendo que la botella se aplaste.

## Viajar en avión

¿Te has fijado que cuando viajas en avión las botellas de agua o de refresco se aplastan? Aunque la cabina está presurizada y no sufre el cambio de presión que hay en la atmósfera cuando cambiamos de altura, sí que hay cierto cambio de presión. Al cerrar la botella en pleno vuelo el aire que queda dentro está a baja presión y, al descender, el aire de fuera aumenta su presión, así que aplasta la botella. Este efecto también se puede ver cuando viajamos en coche, siempre que entre la ciudad de origen y la de destino haya una diferencia de altura suficiente.

### ¡Se me han tapado los oídos!

Seguro que en alguna ocasión has experimentado que se te tapan o te duelen los oídos cuando vas en avión o viajas por carretera de una ciudad a otra que está a bastante diferencia de altitud. Esto se debe a que el oído interno (concretamente la trompa de Eustaquio) no logra equilibrar el cambio de presiones de aire al ascender o descender de altitud, produciéndose un vacío que provoca dolor o malestar.

**4** Vacía el agua y tapa rápidamente la botella con su tapón.

**5** Enfría la botella por fuera con agua fría. Verás como ésta comienza a aplastarse.

## Para seguir investigando

Puedes realizar un experimento similar poniendo en el congelador una botella de plástico de agua mineral vacía y bien cerrada. Espera un buen rato y vuélvela a sacar: la encontrarás aplastada. El aire interior reduce su presión al bajar la temperatura y la presión exterior aplasta la botella reduciendo el volumen y equilibrando de nuevo las presiones interior y exterior.

# Electricidad por un tubo

Estás en casa, fuera llueve mucho, hay una tormenta y de repente se produce un apagón y no puedes ni ver la tele. ¡Vaya fastidio! Ha dejado de llegar electricidad a todo el vecindario... ¡pero tú puedes crearla con tus propias manos! Aunque no conseguirás suficiente potencia como para encender las luces de toda la casa, ¿sabes que puedes crear tu propio generador eléctrico?

## ¡Experimenta!

## ¿QUÉ NECESITAS?

- Tubo largo de cartón procedente, por ejemplo, de un rollo de cocina usado
- Cinta adhesiva
- Bombilla LED simple, de las pequeñitas. Puedes obtenerla de algún adorno de Navidad estropeado, en una lampistería, en un taller de reparación de electrodomésticos, etc.
- Uno o varios imanes
- Regleta
- Hilo de cobre

¿Quieres encender una lámpara convirtiendo tus movimientos en electricidad?

**1** Enrolla el hilo de cobre alrededor del tubo de cartón, de manera que quede bien apretado y dando unas 100 vueltas.

**2** Pela los extremos del hilo de cobre con ayuda de unas tijeras y une los extremos a la bombilla, como indica el dibujo.

**3** Introduce el imán en el tubo por un extremo y cierra bien los dos extremos del tubo doblando el cartón y utilizando cinta adhesiva.

# PIENSA COMO UN CIENTÍFICO

¿De dónde ha salido la energía que enciende la bombilla?

Prueba a sacudir el tubo a diferentes velocidades, ¿qué sucede?

Con tu experimento has construido un aparato que transforma tu movimiento en electricidad. El cable eléctrico enrollado en el tubo tiene unas partículas diminutas, los electrones, que se pueden mover por su interior. Es un conductor eléctrico. Cuando sacudes los imanes, crean una especie de ola magnética a su alrededor que empuja los electrones del cable, de forma parecida a como lo hacen las olas del mar con los surfistas.

Al llegar a la bombilla LED, el movimiento de los electrones, es decir, la electricidad, se convierte en luz. Cuanto más fuertes sean tus sacudidas más electrones del cable moverás, y más brillará la bombilla.

## Para seguir investigando

Los imanes están rodeados de algo que no se ve, pero que hace fuerza. Es como un brazo invisible que agarra y empuja: el campo magnético. Coge los dos imanes e intenta acercarlos. Verás que unas veces se atraen con fuerza y otras se repelen sin tocarse. Cuando se repelen puedes jugar con ellos al gato y al ratón, empujando un imán con el otro a distancia. ¡Pero ojo! si uno de los dos se da la vuelta, se atraerán y se quedarán pegados.

Los imanes también atraen y son atraídos por otros objetos que contienen hierro. Prueba a acercarlos a diferentes objetos de tu casa y averigua si el material del que están hechos contiene hierro o no.

## Monopolos magnéticos

¿Sabías que nadie ha encontrado jamás imanes que sólo se repelan? ¿o que sólo se atraigan? Los científicos los buscan en la naturaleza desde hace más de 80 años, cuando un científico llamado Paul Dirac predijo que podrían existir. Se llaman monopolos magnéticos, y quizá tú seas el primero en descubrirlos. Lo que sí han conseguido los científicos es crearlos en el laboratorio. El primer monopolo magnético del mundo lo han creado los científicos estadounidenses David Hall y Michael Ray.

## Centrales eléctricas

Con este experimento has construido una pequeña central eléctrica. La electricidad es una forma de energía que se transforma en la luz de las lámparas, en el calor de la tostadora, en el sonido de la radio… Pero, al mismo tiempo, esa electricidad que llega a tu casa procede de las centrales eléctricas, donde se ha transformado desde otra forma de energía: el movimiento. En algunas centrales el movimiento se consigue haciendo girar unas turbinas mediante el agua que baja con fuerza de las montañas; en otras, mediante el vapor a presión que se obtiene hirviendo el agua, y en otras, aprovechando el giro de grandes molinos de viento. Pero en todas ellas las turbinas tienen unos imanes pegados, como los tuyos pero mucho más grandes, que hacen mover los electrones generando electricidad.

4

Apaga todas las luces para quedarte completamente a oscuras y sacude el tubo de manera que el imán se desplace de un lado a otro. ¡En cada zarandeo observarás que la bombilla LED emite un pulso de luz!

# La fruta también se oxida

Ayer tocaba manzana de postre pero, como ya habías cenado mucho, te dejaste un par de trozos en la nevera para hoy... ¡caramba! ¡se ha ennegrecido! ¿Quieres saber porqué? ¿Te apetece aprender un truco para evitarlo? ¡Prueba con esto!

## ¿QUÉ NECESITAS?

- Cuatro platos, uno de ellos sopero
- Bolsa de plástico
- Manzana
- Limón
- Sal
- Agua

## ¡Experimenta!

¿Quieres aprender un buen truco para conservar mejor la fruta?

**1** Corta unos trozos de manzana y haz cuatro grupos en cuatro platos diferentes, uno de ellos sopero.

**2** Deja los trozos de manzana del primer grupo en el plato, sin tapar.

**3** Echa unas gotas de limón sobre los trozos del segundo plato, de manera que se extiendan bien por toda la superficie de los trocitos de fruta.

# PIENSA COMO UN CIENTÍFICO

¿En qué platos se ha conservado mejor la fruta?¿Por qué?

En el plato que has dejado sin tapar verás que la fruta se ha cubierto de unas manchas negras. Esto se debe a que, al cortar la fruta, has roto muchas de las células que la componen, los "ladrillos" de los que están hechos los seres vivos. Dentro de esas células hay unas sustancias que, al mezclarse entre ellas y ponerse en contacto con el oxígeno del aire, se oxidan y se transforman en melanina, de color oscuro, ¡el mismo compuesto químico que provoca que tu piel se ponga morena cuando tomas el sol! Para que no ocurra, basta evitar que la fruta esté en contacto con el aire, sumergiéndola en agua; o bien basta con cubrirla de ácidos, como el zumo de limón. El ácido impide la reacción química que produce la melanina. Con el vinagre, como es un ácido, pasa lo mismo. Aunque manzana con vinagre… ¡no es una buena combinación de sabores!

## Frutas con mucha química

Las bolsas de fruta troceada que venden en algunos supermercados también han sido tratadas con productos químicos para que no se oscurezcan. En algunos casos se les añade algún ácido, como el del zumo de limón. En otros se les añaden otros compuestos químicos, o se envasan al vacío, sin aire, para que no pierdan sus propiedades y no se oxiden.

## Para seguir investigando

Prueba a repetir el experimento con otros tipos de fruta, como plátanos, peras, naranjas, fresas o piñas. ¿Sucede lo mismo con todas? ¡El sabor ácido de algunas de ellas te dará una pista!

**4** Echa unas gotas de vinagre sobre los trozos del tercer plato, de la misma manera que has hecho con el limón.

**5** Cubre con agua los trozos de fruta del plato sopero. Ningún trozo debe sobresalir por encima del agua.

**6** Al día siguiente compara los trocitos de fruta de los diferentes platos. ¿Cuáles tienen mejor aspecto? ¿Y mejor sabor?

# ¡Fuera de aquí, microbio!

Los microbios, aunque no se ven, están presentes en todas partes (excepto en los objetos esterilizados) y los hay de todos tipos, desde beneficiosos hasta mortales. Se considera microbio o microorganismo cualquier forma de vida que no sea visible a simple vista (bacterias, protozoos y algunas algas y hongos).

¿Quieres elaborar un medio de cultivo, donde puedan crecer hongos y bacterias, para poder comprobar si hay microorganismos en nuestro cuerpo? ¿Crees que los microorganismos del interior de la boca y de las manos son los mismos?

## ¿QUÉ NECESITAS?

- Lámina de gelatina (en las tiendas las venden para espesar las salsas)
- Cubito de caldo
- Cinco recipientes de plástico con tapa (tipo cápsula de Petri)
- Rotulador permanente
- Bastoncillos de algodón
- Jabón
- Solución antibiótica

## ¡Experimenta!

¿Tenemos microbios en nuestro cuerpo?
¿Te animas a observar su presencia sin ayuda de un microscopio?

**1** Prepara un medio de cultivo, donde los microorganismos puedan crecer, mezclando una lámina de gelatina sin sabor con un cubito de caldo en una cacerola con cuatro vasos de agua. Con la ayuda de un adulto, calienta la mezcla a fuego suave.

**2** Esteriliza cinco recipientes de plástico transparente con tapa. Idealmente se podrían utilizar cápsulas de Petri, que se pueden comprar en tiendas de productos de laboratorio. Para esterilizarlos se dejan en agua hirviendo durante cinco minutos.

**3** Cuando la mezcla de gelatina esté todavía caliente, repártela de forma equitativa entre los recipientes esterilizados y tápalos rápidamente. Déjalos enfriar y numéralos del 1 al 5, con un rotulador permanente, según los experimentos que quieras realizar. En el recipiente 1 no hagas nada, será la prueba control.

# PIENSA COMO UN CIENTÍFICO

¿Por qué crees que hay que hervir los recipientes antes de hacer el experimento?

Después de realizar el experimento, ¿piensas que es importante lavarse las manos cada día antes de comer?

¿Crees que estos microorganismos son beneficiosos para nuestro cuerpo?

Viviendo encima de nuestra piel y dentro de nuestro organismo (en el estómago, en el intestino y en otros órganos), tenemos millones de microbios que nos ayudan a realizar algunas de las funciones vitales. Este conjunto de microorganismos se denomina flora normal y, sin ella, no haríamos la digestión correctamente y otros microbios perjudiciales aprovecharían cualquier pequeña herida para penetrar en nuestro organismo e infectarnos.

## Para seguir investigando

Puedes repetir el experimento, pero esta vez con muestras de tus hermanos o de tus padres, para ver si hay diferencias. ¿Quién tendrá las manos más limpias? Si dispones de un microscopio podrás observar estos microorganismos sobre un portaobjetos colocando una pequeña muestra diluida en agua y teñida con un colorante.

## La penicilina: el primer antibiótico

Alexander Fleming descubrió la penicilina en 1928, lo que supuso un enorme avance en medicina que ha permitido salvar millones de vidas. La penicilina se obtuvo a partir de una levadura (Penicillium) que forma parte del reino de los hongos. En la actualidad se han descubierto nuevos antibióticos a partir de otras levaduras y de bacterias.

## Las reconocerás por su aspecto

Seguramente has podido observar diferencias de color, forma y textura en las distintas muestras que has realizado. Los científicos son capaces de identificar las diferentes especies de bacterias y hongos según la forma en que crecen. De este modo, podemos escoger qué tipo de antibiótico tomar cuando tenemos una infección.

**4** Pasa la mano por la superficie de una mesa, frota tus dedos con un bastoncillo de algodón y restriégalo suavemente por la superficie del medio de cultivo 2. El palillo se debe pasar en zigzag y rodando el algodoncillo para que toda la superficie toque el medio de cultivo. Lávate las manos con jabón y vuelve a repetir la operación en el recipiente 3.

**5** Por último, y para observar si hay diferentes tipos de microbios en distintas partes del cuerpo, friega un bastoncillo de algodón por la parte interior de la boca y repite la misma operación pero en el recipiente cuatro. En el cinco puedes hacer lo mismo pero añadiendo una solución antibiótica.

**6** Debes dejar los recipientes en un lugar cálido (a unos 35 ºC) para que los microbios crezcan más deprisa. El tiempo de crecimiento es de unas 48 horas. De cada bacteria u hongo que hayas sembrado saldrá una colonia circular que irá creciendo con el tiempo y fusionándose con las otras.

# Polvos mágicos

La materia está constituida por elementos químicos la mayor parte de los cuales se combina para formar compuestos. Cuando estos elementos químicos se combinan entre sí de forma ordenada en el espacio, producen cristales (minerales). A partir de una sustancia utilizada normalmente como fertilizante reproducirás, en pocos días, el proceso de formación de los minerales en la Tierra.

## ¡Experimenta!

### ¿QUÉ NECESITAS?

- 300 g de fosfato monoamónico o ADP (lo puedes encontrar en cualquier droguería)
- 500 ml de agua destilada
- Termómetro
- Recipiente para calentar el agua y disolver el material (olla o cazo)
- Recipiente cristalizador (fiambrera de plástico o de cristal, por ejemplo)
- Caja de poliestireno (puedes pedirlas en las pescaderías o en las heladerías) o nevera de playa o camping

¡Atrévete a fabricar cristales que maravillarán a todo el mundo!

**1**

Vierte 500 ml de agua destilada en un recipiente, junto con los 300 g de fosfato monoamónico, y ponla a calentar con ayuda de un adulto.

**2**

Ve removiendo la disolución mientras se calienta hasta que todo el fosfato se haya disuelto. Sigue calentando hasta que el agua llegue a hervir.

**3**

Una vez disuelto echa todo el contenido del cazo en el recipiente cristalizador e introduce éste en la caja de poliestireno.

# PIENSA COMO UN CIENTÍFICO

¿Cómo crees que hemos obtenido estos preciosos cristales a partir de agua y unos polvos blancos de ADP? Lo que ha ocurrido es que, cuando se enfría la disolución a una cierta temperatura, ésta ya no puede tener tanto ADP disuelto y expulsa, en forma de sólido, todo lo que le sobra. Si el enfriamiento es lento, las moléculas de ADP empiezan a colocarse ordenadamente formando un cristal grande, pero si es rápido, todo el exceso de ADP que le sobra a la disolución se expulsará rápidamente, por lo que las moléculas de ADP no tendrán tiempo para ordenarse bien en un solo cristal y se formarán miles de cristales pequeñitos.

## Cristales de azúcar

La cristalización se utiliza en la industria como un método para obtener sustancias puras que están disueltas en un líquido. Por ejemplo, el azúcar no se puede obtener por filtración del jugo de caña ni tampoco se puede destilar, dado que la temperatura a la que hierve el agua es mucho mayor que la temperatura de oxidación del azúcar. Así, la única manera de obtener este dulce producto es cristalizando la solución.

## Para seguir investigando

Puedes realizar la misma experiencia añadiendo a la disolución una pequeña cantidad de colorante alimentario para conseguir que los cristales tomen una nueva tonalidad. Además, si quieres aumentar la belleza de tus cristales coloca un cristal previo como núcleo alrededor del cual se formarán los cristales de la nueva disolución. Así, cada vez serán de mayor tamaño. Prueba también a cristalizar en un recipiente de vidrio en vez de plástico.

## El rey de los cristales

Los diamantes son los minerales más bonitos y más caros del mundo. Para su formación se necesitan unos 1000 ºC y unos 50 kilobares de presión, o lo que es lo mismo 50.000 veces la presión atmosférica de la Tierra, por lo que no podrás cristalizarlos en tu casa. Estas condiciones de presión y temperatura necesarias para que se formen los diamantes se dan aproximadamente a 150 kilómetros bajo la superficie de nuestro planeta.

**4** Tapa bien el recipiente cristalizador y la caja de poliestireno. Si no cierra bien ponle cinta adhesiva alrededor de la tapa.Si utilizas un recipiente de plástico, deja enfriar la disolución unos 5 minutos antes de verterla, hasta 65-75ºC, para que el recipiente no se deforme con el calor.

**5** Pasados tres días, retira la tapa de la caja y del recipiente cristalizador y te asombrarás.

# ¿Quieres ver el sonido de tu voz?

Seguro que en tu vida has visto muchas cosas, pero hay una que probablemente no hayas visto jamás... aunque te rodea por todas partes: ¡el sonido! ¡Sí, sí! El sonido también se puede ver, aunque sea de forma indirecta. Y cada sonido tiene una forma particular. En este experimento vas a construir un aparato para que, además de oírlo con tus oídos, lo puedas ver con tus propios ojos...

## ¿QUÉ NECESITAS?

- Globo
- Cinta adhesiva
- Espejito pequeño
- Linterna
- Plastilina
- Lata de conservas abierta por ambos lados

## ¡Experimenta!

¿Quieres ver qué forma tiene el sonido de tu voz?

**1**

Cubre con el globo uno de las extremos abiertos de la lata de conservas, de manera que la goma quede tensa, como si fuera un tambor. Fíjala con cinta adhesiva.

**2**

Pega con plastilina el espejito a la goma del globo, a mitad de camino entre el centro de la circunferencia y el extremo.

**3**

Alumbra el espejo con la linterna, haciendo que la luz incida con un cierto ángulo en el espejo y se refleje hacia una pared. Intenta que el haz de luz que llega a la pared sea lo más brillante y pequeño posible.

# PIENSA COMO UN CIENTÍFICO

¿Por qué se mueve el punto de luz en la pared?

¿Qué ocurre si cantas más fuerte o más flojo?

El sonido se produce cuando hacemos vibrar el aire. Con la voz, esto lo conseguimos moviendo un par de músculos en forma de membrana que tenemos en el interior del cuello: las cuerdas vocales. Al moverse, empujan el aire hacia delante y hacia atrás de manera repetida y muy rápidamente. Tan rápido que si cantas un Do agudo el aire es empujado más de 500 veces en un solo segundo. Esos vaivenes del aire, las ondas de sonido, viajan y llegan a los tímpanos de tus oídos, unas membranas que vibran como la superficie de goma de globo del experimento y que, a su vez, mueven unos huesecillos que envían una señal a tu cerebro. Y tu cerebro piensa: ¡música!

En tu experimento, las ondas de sonido de tu voz mueven la membrana de goma y hacen vibrar el espejo. Esas vibraciones no se ven, pero al reflejar un rayo de luz de tu linterna y observarlo en la pared, los pequeños movimientos se amplifican y permiten que los puedas ver con tus propios ojos. Fíjate que, cuanto más fuerte cantes, más empujarás el aire con tus cuerdas vocales, más empujará el aire la membrana de goma, más se moverá el espejo y, por lo tanto, más se moverá el puntito de luz reflejado en la pared.

## ¡Estás hecho todo un técnico de sonido!

Los cantantes profesionales graban sus canciones en estudios de música muy sofisticados, equipados con los aparatos más complicados que te puedas imaginar, llenos de botones por todas partes. Pero, en el fondo, hacen algo muy parecido a lo que has logrado tú con tu lata de conservas.
Los micrófonos del estudio tienen una membrana muy finita, como la goma del globo, que vibra con la voz. Estas vibraciones mueven pequeños imanes que las convierten en corrientes eléctricas. Las corrientes eléctricas llegan a un ordenador que las convierte en imágenes, para que los técnicos puedan trabajar fácilmente con ellas. Así, borran, recortan y pegan trozos de una canción como si hicieran manualidades.

¡25.000 vibraciones por segundo!

La cantante brasileña Georgia Brown tiene el record Guinness de la nota cantada más aguda del mundo. Es capaz de cantar un Sol 10 ... una nota que ¡ni si quiera se puede oír! Es la persona capaz de hacer vibrar sus cuerdas vocales más veces por segundo: ¡25.000 vibraciones en cada segundo!

4

Apaga las luces de la habitación y habla y canta por la parte abierta de la lata, como si fuera un micrófono. Observa la luz en la pared, ¿qué ocurre con ella?

## Para seguir investigando

No sólo con el sonido se mueve el punto de luz. Pon la lata encima de una mesa y sujétala situándola entre dos libros. Prueba a dar golpecitos en la mesa, o a dar saltos en el suelo. Verás que el punto de luz también se mueve. Las vibraciones se transmiten no sólo por el aire, sino también por materiales sólidos.
De una manera parecida se detectan y se miden los terremotos. Cuando hay uno, un aparato parecido al tuyo, el sismógrafo, se mueve cuando llegan las vibraciones del suelo y una aguja las amplifica y las convierte en un dibujo, para poderlas analizar más fácilmente.

# Un huevo frito en frío

Si crees que para conseguir freír un huevo necesitas una sartén bien caliente y aceite estás muy equivocado. Puedes conseguir freír un huevo sin nada de todo eso, freírlo "en frío", en un simple plato, como por arte de magia. ¿Quieres saber cómo?

## ¿QUÉ NECESITAS?

- Plato sopero o un bol
- Huevo
- Alcohol de botiquín (de 96º)

## ¡Experimenta!

¿Quieres aprender a freír un huevo en frío sin calentarlo?

**1** Pon el huevo en un plato sopero o en un bol. Mejor si es de color oscuro, para que veas bien como se "fríe" el huevo.

**2** Vierte encima del huevo alcohol de botiquín, poco a poco, para que vaya entrando en contacto con la clara.

**3** Remueve un poco la clara con un tenedor mientras echas el alcohol, sin batir el huevo. Déjalo reposar unos 30 min.

# PIENSA COMO UN CIENTÍFICO

¿Por qué se fríe el huevo si no lo has calentado?

Si pudieras observar la clara de un huevo con un microscopio muy potente te darías cuenta de que contiene grandes cantidades de unos hilitos muy pequeños: las proteínas. Cuando el huevo está crudo, estas proteínas están "arrugadas". Cada proteína se pega consigo misma como una tira de celo cuando la arrugas. Pero cuando las proteínas se calientan en la sartén pierden esa forma, las arrugas desaparecen y las proteínas se quedan como los hilos de una camisa, formando un tejido blanco y consistente. Los científicos las llaman proteínas "desnaturalizadas".

Pero tú no has calentado el huevo, has añadido alcohol. El alcohol tiene el mismo efecto sobre las proteínas del huevo. Deshace las arrugas de las proteínas y las convierte en largos hilos que también le dan a la clara el típico color blanco y la consistencia de un huevo frito, aunque no sea comestible.

## ¡Un plato de proteínas desnaturalizadas, por favor!

Si las proteínas del huevo están enmarañadas cuando llegan a tu estómago, es decir, si te comes el huevo crudo, evitan que puedas hacer bien la digestión y te puede sentar mal. Lo mismo ocurre con las proteínas de muchos otros alimentos, como la carne o el pescado. Sin embargo, si te las comes en forma de largos hilos, desnaturalizadas, tu estómago puede digerirlas muy bien y tu cuerpo las aprovecha para que estés bien fuerte. Por eso cocinamos muchos alimentos: para que, al calentarlos, se deshagan los enredos de las proteínas y los podamos digerir bien.

### Pelo liso o pelo ondulado

Tu pelo y tus uñas contienen una proteína llamada queratina. En el pelo, la forma en que se "arruga" la queratina a medida que crece determina si tu cabello es liso o rizado.

Después de 30 min. habrás conseguido que la clara se vuelva consistente y de color blanco, como cuando fríes el huevo: ¡ya tienes tu huevo frito en frío! Pero no te lo comas... ¡no es comestible!

## Para seguir investigando

La leche también contiene muchas proteínas, llamadas caseínas. Para desnaturalizar esas proteínas se puede utilizar un ácido, como el que tiene el jugo de limón o el vinagre. Mezcla zumo de limón o vinagre con leche en un vaso. Verás que aparece una cosa blanca sólida en el fondo. Son las proteínas, que al "desenredarse" se separan del agua de la leche y caen al fondo del vaso. Pasa la leche por un colador y las verás mejor. ¿Sabías que así es como se obtienen la cuajada y los quesos?

4

# El huevo saltarín

C oloca un huevo crudo y entero en un vaso con vinagre y observa qué le ocurre. En este experimento tanto la clara como la cáscara reaccionan con el vinagre y se transforman... ¡el resultado te sorprenderá!

## ¿QUÉ NECESITAS?

- Huevo de gallina; también puede ser de codorniz o de pato
- Bote de cristal transparente
- Vinagre blanco o de vino

## ¡Experimenta!

¿Quieres transformar un quebradizo huevo en una saltarina pelota de "goma"?

**1**

Escoge un huevo de gallina.

**2**

Busca un bote de cristal, coloca el huevo en su interior, sin que se rompa, y llena el recipiente con vinagre.

**3**

Al día siguiente, sustituye el vinagre inicial por vinagre nuevo.

# PIENSA COMO UN CIENTÍFICO

¿Qué ha ocurrido con la cáscara de huevo?

¿Por qué la clara se ha endurecido?

¿La yema ha sufrido algún cambio?

La cáscara de huevo está formada básicamente por carbonato de calcio, como nuestros huesos. El ácido del vinagre reacciona con el carbonato de calcio y lo disuelve, desprendiendo burbujas de dióxido de carbono.

Una vez disuelta la cáscara, la clara no se desparrama porque está envuelta por una fina capa protectora pero semipermeable que no se ve afectada por el vinagre. Esta capa deja entrar el vinagre, que reacciona con la clara y la precipita tal y como hace el calor cuando se fríe un huevo. La clara "coagulada" tiene un comportamiento elástico, lo que permite que el huevo rebote como una pelota. La parte más interna de la clara y la yema no sufren cambios, porque el vinagre no les alcanza.

También podrás observar que el huevo-pelota ha aumentado de tamaño a consecuencia del vinagre que ha absorbido.

## Para seguir investigando

Como has podido comprobar, un huevo no es una especie de caja fuerte totalmente aislada del exterior.

Piensa que si el huevo ha sido fecundado, en su interior se desarrollará un pollito que, mientras crece, se alimentará de la clara y de la yema, pero que además necesitará respirar. El oxígeno necesario para la respiración penetra a través de los microscópicos poros que tiene la cáscara y la fina capa que envuelve la clara. Por estos poros es por donde también penetra el vinagre que permite los cambios que has experimentado.

### ¡Huevos para todos los gustos!

Los huevos son un alimento muy rico en proteínas y grasas. Los más consumidos son, con mucha diferencia, los de gallina, pero también se consumen los de pato y oca, los enanos de codorniz y los gigantes de avestruz, que superan el kilogramo de peso. Aunque los más valorados son los huevos de ciertos peces, como los esturiones, que nos proporcionan el exquisito caviar.

## Una clara con mucho arte

La clara de huevo se ha utilizado en pintura por su poder aglutinante. Este tipo de técnica pictórica fue muy utilizada durante el Románico y el Gótico y se conoce como pintura al temple o témpera.

**Deja pasar un día y saca el huevo del recipiente. Lávalo con agua. Déjalo caer a poca altura sobre una superficie rígida y observa el resultado.**

4

# La columna multicolor

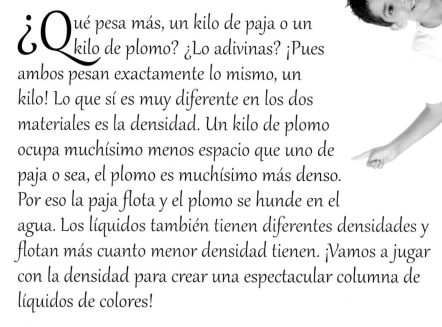

¿Qué pesa más, un kilo de paja o un kilo de plomo? ¿Lo adivinas? ¡Pues ambos pesan exactamente lo mismo, un kilo! Lo que sí es muy diferente en los dos materiales es la densidad. Un kilo de plomo ocupa muchísimo menos espacio que uno de paja o sea, el plomo es muchísimo más denso. Por eso la paja flota y el plomo se hunde en el agua. Los líquidos también tienen diferentes densidades y flotan más cuanto menor densidad tienen. ¡Vamos a jugar con la densidad para crear una espectacular columna de líquidos de colores!

## ¡Experimenta!

¿Tienes el pulso firme? Prepárate para crear una hermosa columna de líquidos multicolor.

### ¿QUÉ NECESITAS?

- Vaso largo
- Jeringa
- Colorante alimentario de varios colores
- Miel
- Jarabe de maíz
- Jabón líquido de lavavajillas
- Agua
- Aceite de oliva o de girasol
- Alcohol del botiquín

**1** Pon el agua y el alcohol en dos vasos y añade una cucharadita de colorante diferente para cada uno. Procura que no coincidan con los colores de los otros líquidos.

**2** Vierte un poco de miel en el vaso largo con una cuchara, hasta llenar una altura de un centímetro más o menos.

**3** Vierte luego los otros líquidos en el siguiente orden: jarabe de maíz, jabón líquido de lavavajillas, agua coloreada, aceite de oliva y alcohol coloreado.

# PIENSA COMO UN CIENTÍFICO

¿Qué ocurre si cambias el orden de los líquidos al mezclarlos?

¿Y si remueves el contenido? ¿Cómo se ordenan los líquidos?

Una cosa es más densa que otra si pesa más ocupando el mismo volumen. ¿Qué crees que es más denso, el aceite o el agua? Parece que el aceite es más denso, porque es más viscoso, pero en realidad es más densa el agua. Como los materiales menos densos flotan sobre los más densos, puedes comprobarlo echando unas gotas de aceite en el agua. Verás que se quedan flotando.

En el experimento has utilizado líquidos de diferentes densidades, de manera que los de menor densidad flotan sobre los de mayor densidad. De este modo, tu columna de colores habrá ordenado los líquidos de mayor densidad, los que están más abajo, a menor densidad, los que están más arriba. Si viertes los líquidos en diferente orden verás que se forma una mezcla de colores. Déjala reposar y al cabo de un tiempo algunos de los líquidos se habrán ordenado y ocuparán el lugar que les corresponde.

## Subir y bajar

También los gases se ordenan en el aire de manera que los de menor densidad ascienden más arriba que los de mayor densidad. Ese es precisamente el motivo por el que los globos que contienen helio suben hacia arriba. El helio es un gas que pesa menos que el oxígeno y el nitrógeno del aire que nos rodea. Por eso, si sueltas el globo, se irá a buscar su lugar en la columna de densidades que tienes sobre tu cabeza.

Los submarinos también pueden subir y bajar por debajo del agua jugando con las diferencias de densidad. Tienen unas bombonas de aire comprimido en las que el aire se aprieta a tanta presión que su densidad pasa a ser la misma que la del agua. Sin embargo, si dejan escapar ese aire a una cámara, una especie de globo que se puede hinchar, entonces su densidad baja y el submarino tiende a subir hacia arriba.

### El material más denso del Universo

En el Universo hay unos objetos que tienen una densidad alucinante: las estrellas de neutrones. No son muy grandes, normalmente miden unos kilómetros de ancho. Pero un trocito de estrella de neutrones del tamaño de un terrón de azúcar ¡pesaría tanto como todas las personas del mundo juntas!

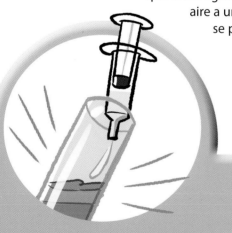

**4**

**Utiliza la jeringuilla para que caigan poco a poco resbalando por las paredes del vaso, con cuidado de que no se mezclen, ¡habrás conseguido una bonita columna multicolor!**

## Para seguir investigando

Puedes comprobar la densidad de cada líquido pesando el mismo volumen para todos ellos. Llena un vaso con 50 centilitros de uno de los líquidos ayudándote de la jeringa para medirlo. Pésalo con una báscula de cocina y anota el peso en gramos. Divide el peso por 50 y tendrás el valor de la densidad. Repite el cálculo para cada líquido y ordénalos según su densidad. ¿Te ha salido el mismo orden que el que se obtiene en el experimento? También puedes añadir pequeños objetos sólidos de diferentes materiales a tu columna de densidades, y observar dónde se sitúan para saber su densidad. Puedes probar con un palillo de madera, con un clavo, con un cubito de hielo... ¡Fíjate que el hielo no tiene la misma densidad que el agua!

# ¡Nyam! ¡Queso!

El queso, en el fondo, no es más que una manera de conservar la leche durante mucho tiempo. Los quesos de larga duración se obtienen por fermentación de la leche gracias a la acción de determinadas especies de bacterias o levaduras. La leche puede ser de vaca, cabra, oveja, búfala, etc. y las variedades de queso que se pueden obtener son prácticamente infinitas.

A diferencia de la leche, el queso no contiene lactosa que puede resultar indigesta para algunas personas adultas.

## ¿QUÉ NECESITAS?

- 2 l de leche fresca, pasteurizada y entera
- 90 ml de zumo de limón recién exprimido
- Una cucharadita de sal
- Cacerola
- Colador
- Gasa fina
- Molde (opcional)

## ¡Experimenta!

¿Quieres aprender a elaborar un sabroso queso fresco?

**1**

Consigue 2 l de leche fresca pasteurizada y entera, deposítalos en una cacerola y caliéntalos, con ayuda de un adulto, a fuego lento hasta que se formen pequeñas burbujas en los bordes del recipiente.

**2**

Retira, con mucho cuidado, la cacerola del fuego y déjala reposar durante unos 20 min.

**3**

Añádele unos 90 ml de zumo de limón y espera unos 10 min. más. Vuelve a calentarla de nuevo hasta que la leche se corte, añade una cucharadita de sal y remueve el precipitado.

# PIENSA COMO UN CIENTÍFICO

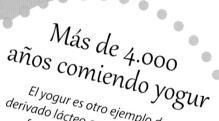

¿Por qué debes utilizar leche fresca?

¿Cuál es la función del zumo de limón? ¿Y de la sal?

Debes utilizar leche fresca porque la esterilizada está alterada por el proceso que permite su larga conservación.

El zumo de limón contiene un ácido que, como todos los ácidos, corta la leche al provocar la precipitación de las proteínas.

La sal se utiliza para potenciar el sabor del queso y facilitar su conservación.

## Para seguir investigando

Si quieres conseguir diferentes variedades de queso fresco puedes añadir a la leche yogur o nata y obtendrás un queso más cremoso. Asímismo puedes aromatizar el queso añadiendo hierbas o especias.

También puedes sustituir el zumo de limón por cuajo líquido, o en polvo, que puedes conseguir en tiendas de alimentación o en farmacias.

## Más de 4.000 años comiendo yogur

El yogur es otro ejemplo de derivado lácteo que se obtiene por fermentación bacteriana. Lo descubrieron los tracios, que vivieron en la actual Bulgaria hace más de 4.000 años. El kéfir es parecido al yogur pero en su elaboración intervienen dos especies, una bacteria y una levadura.

**4**

Cubre un colador grande con una gasa, vierte el contenido de la cacerola en él y espera a que se escurra el líquido o suero. Finalmente cierra la gasa y aprieta su contenido para expulsar el líquido sobrante. Traslada el queso fresco a un molde para darle la forma deseada y consérvalo en el frigorífico.

## ¡10.000 años de queso!

Se cree que el queso empezó a elaborarse poco después de la domesticación de la oveja y esto sucedió hace entre 9.000 y 8.000 años antes de nuestra era. En consecuencia el primer queso sería de oveja y se elaboró hace unos 10.000 años. En la actualidad, y a escala mundial, se producen unos 20 millones de toneladas de queso al año. El país que más queso consume es Grecia, con un promedio de más de 27 kilogramos por persona y año.

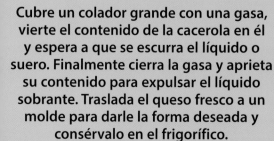

# Ciencia en el parque

# Competición de permeabilidades

La permeabilidad representa la velocidad a la que un fluido puede pasar a través de los poros de un sólido. Si el grado de permeabilidad del suelo es alto, el agua de lluvia lo penetrará fácilmente. En cambio, si la permeabilidad es baja, el agua de lluvia tenderá a acumularse o a desplazarse por la superficie si el terreno está inclinado. En este experimento podrás comparar la permeabilidad de tres suelos diferentes y podrás comprobar que el agua que se infiltra en la tierra lo hace con distintos ritmos en función, principalmente, de la medida de sus componentes.

## ¿QUÉ NECESITAS?

- 3 botellas de plástico (ej., envases de 1,5 o 2 l)
- Cuchillo o tijeras para cortar las botellas
- Muestras de tres suelos locales o suelos artificiales preparados con guijarros, arena y arcilla
- 3 envases del mismo tamaño para verter el agua en los suelos.
- Pequeños trozos de tela y cuerda (o gomas elásticas) para retener el suelo en los embudos.
- Cronómetro o reloj
- Agua

## ¡Experimenta!

¿Estás preparado para la competición?
¿Qué suelo crees que ganará?

**1** Recoge tres muestras de suelos diferentes (o prepáralas de forma artificial), uno rico en arcillas, uno arenoso y otro que contenga fragmentos gruesos de roca o cantos rodados.

**2** Prepara tres embudos cortando por la mitad tres botellas de plástico de las más grandes. Haz una marca de referencia a unos 8 cm del cuello de cada botella (enrase para el suelo) y otra a 12 cm para el agua.

**3** Sujeta un trozo de tela sobre la boca de cada botella atándolo a su cuello, de modo que el suelo no pueda escapar. Introduce los embudos en la otra mitad de la botella de manera que ésta haga de soporte.

# PIENSA COMO UN CIENTÍFICO

De los tres suelos, ¿cuál es el más permeable? ¿Cuál dejará pasar el agua con más facilidad? ¿Por qué crees que algunos suelos dejan pasar el agua con mayor facilidad?

Los suelos con granos mayores y con muchos huecos son los que dejan pasar el agua más rápidamente. Aquéllos con granos más pequeños y pocos espacios dejan pasar el agua más lentamente, ya que ésta no atraviesa fácilmente esos pasos delgados. Si el suelo está formado por materiales muy finos (limos y arcillas), los espacios entre granos son tan pequeños que apenas dejarán pasar el agua y el terreno quedará encharcado.

## ¿Cualquier suelo es bueno para un campo de fútbol?

¿Si tuvieras intención de construir un campo de fútbol, qué tipo de suelo elegirías, uno que deja pasar el agua rápidamente o uno que la retiene? Los campos de fútbol deben drenar rápidamente, de lo contrario se inundarían durante las tormentas. Es muy difícil encontrar un suelo natural que permita, sin estar mezclado con otros materiales, construir un campo de fútbol. Lo más normal es que el suelo se haga de forma artificial, mezclando arcillas con una o dos capas de arena.

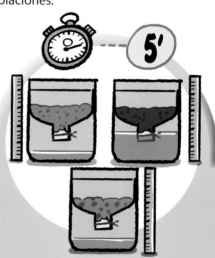

## ¡Que no se filtre ni una gota!

Cuando se decide la ubicación de un vertedero de residuos la impermeabilidad del terreno es vital, puesto que supone que los líquidos que puedan generarse en la descomposición de las basuras no llegarán a filtrarse al subsuelo. De esta manera se evita que se contaminen los acuíferos, que tan importantes son en la actualidad para el abastecimiento de agua de muchas poblaciones.

**4** Llena cada recipiente con un tipo de suelo hasta la marca, sin apretarlo. Vierte agua en cada embudo hasta saturar el suelo. Una vez saturado, vierte el exceso de agua y vacía los envases.

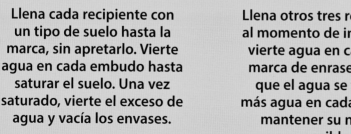

**5** Llena otros tres recipientes con agua y, al momento de iniciar el cronometraje, vierte agua en cada embudo hasta la marca de enrase con agua. A medida que el agua se filtra, ve agregando más agua en cada embudo, intentando mantener su nivel lo más estable posible en la marca.

**6** Al cabo de cinco minutos deja de agregar agua y mide cuánta agua ha pasado por cada embudo en ese tiempo.

# ¡No seas pesado!

¡Yo peso más que tú! No, soy yo la que peso más que tú, ¡soy más alta!¡No, yo!¡Que no, que soy yo la que pesa más! … ¿Quieres salir de dudas y saber quién de tus amigos y amigas pesa más? Si estás en el parque y tienes cerca un caballito de esos que tienen un muelle debajo ¡tienes una balanza perfecta para poder comprobarlo!

## ¡Experimenta!

## ¿QUÉ NECESITAS?

- Un balancín del parque, de los que tienen un muelle debajo
- Un cronómetro o un reloj

¿Quieres averiguar quién pesa más?

**1**
Pide a uno de tus amigos que se suba al caballito. Tiene que ser uno de esos que tiene un muelle debajo y en el que te puedes balancear hacia delante y hacia atrás.

**2**
1-2-3-4-5-6-7-8...
Pídele que se balancee durante un minuto y cuenta cuántos balanceos ha hecho en ese minuto. Anótalos. Fíjate que da igual la fuerza con la que se balancee, el número de vaivenes siempre será más o menos el mismo.

**3**
SARA: 26
TOMÁS: 23
MERCEDES: 42
ALBERTO: 17
ANA: 38

Repite el experimento con todos los amigos que quieras, incluido tú, y anota el número de balanceos en un minuto al lado del nombre de cada uno.

# PIENSA COMO UN CIENTÍFICO

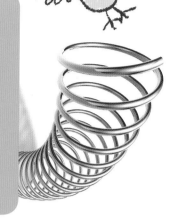

¿De qué depende el número de oscilaciones del balancín? ¿Puedes tú sólo hacer que el balancín vaya más deprisa o más despacio?

Cuando estás subido en el caballito y te inclinas hacia delante en cada vaivén, haces que el muelle que hay debajo se estire. Pero al muelle no le gusta nada que lo estiren, hace una fuerza para volver a estar como antes y tira hacia atrás. Esa fuerza depende de tu peso y de lo estirado que esté el muelle, y hace que el balancín se mueva hacia delante y hacia atrás a un ritmo fijo según el peso que tengas. Si tú te mueves justo a ese ritmo, lo que se llama estar "en resonancia" con el muelle, te desplazarás más y más fuerte y te moverás cada vez más hacia delante y hacia atrás. Pero por mucho que te esfuerces, verás que no puedes cambiar ese ritmo… ¡porque depende de tu peso!

## ¿Te apetece un vaso de leche calentita?

El agua está hecha de unas diminutas partículas, las moléculas, que son como bolitas unidas por pequeños muelles invisibles. Y les pasa igual que a ti cuando estás en el caballito: no pueden balancearse de cualquier manera, más deprisa o más despacio. Tienen un ritmo. Si se las empuja justo con ese ritmo, entonces las moléculas se desplazan más y más hacia delante y hacia atrás… ¡y se calientan! Eso es justamente lo que hace un microondas con el agua: emite unas ondas que empujan las partículas del agua justo con su ritmo característico, "en resonancia" con ellas, para que se calienten. Y como tu vaso de leche es un 90% de agua, en unos segundos lo tienes calentito y listo para el desayuno.

### Relojes con muelles

El primer muelle lo inventó un inglés, Robert Hooke, en 1660. Gracias a su invento se pudieron fabricar los primeros relojes de pulsera, que utilizaban el ritmo característico de los muelles. Hasta entonces, los relojes empleaban algo muy parecido al columpio de tu parque para marcar el tiempo: un péndulo, o sea, un peso que colgaba e iba de un lado a otro siempre al mismo ritmo.

## Para seguir investigando

Prueba a hacer el mismo experimento pero en un columpio. Cuenta el número de veces que el columpio va y viene en un minuto con varios de tus amigos. ¿Depende del peso? En los columpios no hay ningún muelle que haga fuerza así que el tiempo que tardas en ir y venir siempre es el mismo, peses lo que peses.

4+

Ordena la lista de manera que el que tiene menos balanceos esté el primero, y el que tiene más, el último. Habrás ordenado a tus amigos según su peso: ¡el primero será el más pesado!

# Lancha a reacción

Ese estanque tan bonito que hay en el parque tiene de todo: peces, algas y hasta algún que otro nenúfar. Sólo le falta una cosa: un barquito que vaya surcando el agua y recorriendo el paisaje.

¿Quieres aprender a construir una lancha a reacción que se mueva sola por el estanque? No es difícil, sólo tendrás que seguir los pasos de este sencillo experimento.

## ¿QUÉ NECESITAS?

- Botella de plástico
- Pajita
- Bicarbonato sódico
- Vinagre

## ¡Experimenta!

¿Quieres construir una lancha a reacción?

**1** Haz un pequeño agujero en la base de una botella de plástico, cerca del borde.

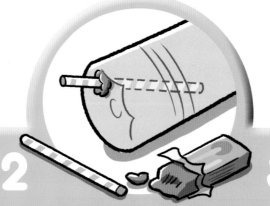

**2** Mete una pajita por el agujero, hasta que sobresalga un pequeño trozo, y pon un poco de plastilina alrededor de la pajita para cerrar el agujero.

**3** Rellena tres cuartas partes de la botella con vinagre e inclínala de manera que la pajita quede por encima del vinagre dentro de la botella.

# PIENSA COMO UN CIENTÍFICO

¿Por qué se mueve la botella?

Cuando el papel del paquete se empapa de vinagre, éste entra en contacto con el bicarbonato sódico y se desencadena una reacción química. En esta reacción, el bicarbonato de sodio se combina con el ácido acético que contiene el vinagre y se produce un gas, el dióxido de carbono. Este gas ocupa todo el interior de la botella hasta que sale por la pajita, empujando la botella en dirección contraria a la que sale el gas.

## Para seguir investigando

Tu lancha no se moverá por mucho tiempo, porque la reacción química que produce el gas se acaba enseguida al combinarse todo el bicarbonato sódico con el vinagre. Puedes probar diferentes diseños de tu superlancha a reacción haciendo paquetes de bicarbonato con papel más grueso, introduciendo varios paquetes envueltos en diferentes papeles, para que el gas se vaya produciendo en varias fases, o metiendo más vinagre al principio del experimento.

### ¡Hasta la estratosfera!

Ándate con ojo, porque hacer lanchas y cohetes a reacción caseros engancha. En 2011, unos aficionados perfeccionaron tanto su técnica que lograron enviar su cohete casero, al que llamaron Qu8k, hasta la estratosfera, ¡a 30 km de altura!

## ¡A todo gas!

Los cohetes utilizan el empuje de los gases para subir hacia el cielo, salir de la atmósfera de la Tierra y viajar hacia el espacio. Esos gases se producen en reacciones químicas parecidas a la que has creado tú en el interior de la botella, ¡sólo que con una fuerza millones de veces superior!

**4** Pon cuatro o cinco cucharadas de bicarbonato en un papel de cocina y envuélvelo como si fuera un caramelo.

**5** Introduce el papel con bicarbonato en la botella, con cuidado de que éste no se salga, y enrosca rápidamente el tapón.

**6** Pon enseguida la botella en el estanque. Se empezará a mover sola como una lancha de verdad.

# ¿Quién vive aquí?

El número de especies de aves (más de 10.000) es muy superior al de mamíferos (menos de 5.500) y, sin embargo, resultan más desconocidas para los humanos. ¿Te apetece conocerlas un poco más? Te proponemos construir un comedero para aves que nos facilite su observación, su alimentación y su supervivencia. De este modo aprenderás a identificar las distintas especies y a comportarte como un buen naturalista de campo.

## ¿QUÉ NECESITAS?

- Botella de plástico transparente
- Tijeras
- Maceta de arcilla
- Cuerda, mejor si es de fibras vegetales tipo sisal
- Alpiste
- Gelatina
- Agua
- Miel o melaza
- Guía de aves de tu región

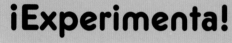
# ¡Experimenta!

¿Quieres aprender cómo actúan los verdaderos naturalistas para poder identificar las especies de pájaros que viven en un territorio? Lo haremos en un rincón de tu ciudad; escoge un parque con árboles cerca de casa y empieza la aventura.

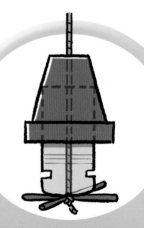

**1** Consigue una botella de plástico vacía y corta la parte del cuello a una distancia de unos 5 cm del tapón. Haz también un agujero en mitad del fondo de la botella y pequeñas incisiones por la parte de abajo de la botella, que es por donde saldrá la comida para los pájaros.

**2** Pasa una cuerda por el agujero del fondo y átala a dos ramas, que habrás fijado antes con la misma cuerda, de manera que queden en forma de cruz. Las ramas servirán para que los pájaros se posen.

**3** Consigue una maceta de arcilla, de las que tienen un agujero en el fondo, y pasa una cuerda por el agujero con la maceta boca abajo, de manera que quede como un sombrero encima de la botella. De esta manera, protegeremos las semillas del agua y los pájaros del sol.

# PIENSA COMO UN CIENTÍFICO

¿Crees que podrás observar el mismo tipo de aves durante todo el año?

¿Qué características de las aves crees que son más importantes para saber identificarlas?

Muchas especies de aves son migratorias, es decir, que viajan miles de kilómetros durante los cambios de estación para buscar mejores condiciones ambientales. Puedes hacer este mismo experimento en distintas épocas del año y apuntar en una libreta las distintas especies que encuentres, así verás qué especies se quedan todo el año en la ciudad y cuáles son migratorias.

Para poder identificar las especies debes fijarte en el tamaño, la forma del pico y, sobre todo, en la coloración del plumaje. Fíjate que muchas especies tienen dimorfismo sexual, es decir, que macho y hembra lucen colores diferentes.

## Guardianes de aeropuertos

El halcón peregrino es el animal más rápido del mundo, ya que, en vuelo picado, puede superar los 300 km/h. Dada su imbatibilidad en el vuelo y su fácil domesticación, se ha utilizado desde la antigüedad para cazar otras aves. En la actualidad son varios los aeropuertos de todos los continentes que los emplean para alejar a otras aves que, como las gaviotas, pueden impactar con los aviones en el momento del despegue o del aterrizaje.

## Para seguir investigando

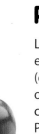

Las aves que conseguirás atraer hasta este comedero serán especies granívoras (que comen semillas). Si te interesa observar otros tipos de aves, deberás cambiar el contenido del comedero. Puedes construir uno con insectos (como el llamado "gusano" de la harina) o fruta y observar qué pasa. ¡Compara los resultados!

**4** Ahora ya puedes rellenar la botella de comida. Al ser transparente, podrás ver cuándo se acaban las semillas para reponerlas.

ALPISTE

AGUA

GELATINA

MIEL

**5** Un ejemplo de preparado de comida para pájaros podría ser una mezcla de alpiste, agua, gelatina y miel o melaza. Prepáralo en tu casa con agua caliente y mezclando bien los ingredientes.

**6** Ahora ya estás listo para observar las aves de tu ciudad. Cuelga el comedero en un árbol del parque y observa los pájaros que vienen a comer. Puedes utilizar una guía de campo de aves para identificar las especies más comunes.

# Construye tu propio filtro de agua

Cuando bebemos agua del grifo en casa no nos preocupa enfermar, ya que sabemos que el agua ha sido previamente purificada en una planta de tratamiento de aguas. Estas plantas utilizan procesos de depuración mucho más complejos que el que crearás aquí, pero verás que con sustancias fáciles de encontrar, como la arena y el carbón, podrás crear tu propio sistema de tratamiento y limpiar agua realmente sucia. A pesar del color transparente del agua obtenida no la debes beber, ya que el filtro no elimina las bacterias y, por tanto, el agua no será potable.

## ¿QUÉ NECESITAS?

- Botella de plástico transparente
- Vaso o taza (para elaborar el agua sucia)
- Vaso transparente (para recoger el agua filtrada)
- Arena
- Grava media
- Grava gruesa
- Carbón activo
- Cuchara y cuchillo
- Tijeras
- Algodón
- Tinta o colorante alimentario
- Tierra y césped
- Palito de madera

## ¡Experimenta!

¿Te has preguntado alguna vez cómo se purifica el agua antes de que llegue a tu casa? Aquí realizarás un sencillo sistema de filtración que te dará algunas respuestas.

**1**

En primer lugar, crea tu agua sucia llenando de agua las tres cuartas partes de un vaso o de una taza. Añade una gota de colorante al agua y después añade una cucharada de tierra y césped del jardín. Mézclalo todo con el palito de madera.

**2**

Corta el fondo de la botella. Esta parte puede ser peligrosa, así que es una buena idea pedir ayuda a un adulto.

**3**

Con el cuchillo o con la punta de las tijeras haz varios agujeros al tapón de plástico de la botella. Para esta operación pide de nuevo ayuda a un adulto.

# PIENSA COMO UN CIENTÍFICO

¿Sabrías explicar qué función han realizado las diferentes capas de material que has colocado en la botella? ¿Cómo han limpiado el agua?

Los granos de arena y de grava se agrupan entre sí, dejando espacios muy pequeños entre ellos. Al no haber espacio para que pase la tierra ni el césped entre los granos de arena, las capas de material han funcionado como un filtro, reteniendo los sólidos en suspensión del agua sucia y permitiendo el paso del líquido a través de sus poros. Cuanto más pequeño es el tamaño de poro, mejor retiene los sólidos, por eso la arena retiene mejor que la grava. El carbón activo, además de ser un material filtrante, es un material adsorbente, es decir, es capaz de retener sobre su superficie pequeñas partículas de naturaleza orgánica, como en nuestro caso el colorante.

## El filtro de mi casa

En los filtros domésticos de agua normalmente se emplea carbón activo obtenido a partir de carbón mineral, tipo hulla o antracita, aunque también existen filtros domésticos de carbón activo elaborados a partir de cáscara de coco. Estos mismos filtros se utilizan también en peceras y acuarios para mantener limpia el agua.

## Para seguir investigando

¿El filtro funcionará siempre? Observarás que, al utilizarlo unas cuantas veces, llegará un momento en que ya hay tanto material adherido a la superficie del carbón que éste ya no podrá eliminar más colorante.
¿Es realmente necesaria la capa de carbón? Puedes comprobar el poder absorbente del carbón realizando el mismo experimento sin la capa de este producto. Observarás como tu filtro retiene las partículas en suspensión pero no elimina el color ni el olor del agua.

## Los acuíferos, filtros naturales

Los acuíferos tienen una cierta capacidad de depuración de las aguas subterráneas, mayor o menor según el tipo de roca y otras características. Las sustancias contaminantes, al ir el agua avanzando entre las partículas del subsuelo, se filtran y dispersan y también sufren otros procesos químicos o biológicos que las degradan. El agua de las fuentes naturales suele ser más limpia y de mejor sabor que las superficiales.

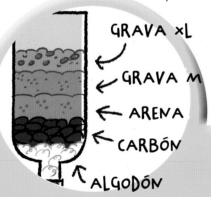

GRAVA xL
GRAVA M
ARENA
CARBÓN
ALGODÓN

**4** Gira la botella al revés para que puedas poner en primer lugar el algodón y posteriormente el resto de materiales por este orden: carbón, arena, grava mediana y grava gruesa. El grosor de cada capa dependerá del tamaño de tu botella y de la calidad del filtro que quieras obtener. A mayor grosor de capas mayor filtración.

**5** Vierte poco a poco el agua sucia por la parte superior de la botella. Asegúrate que debajo de ésta has puesto un vaso de cristal transparente para recoger el agua filtrada. Ten paciencia, ya que las primeras gotas de agua purificada tardarán un poco en caer.

**6** Recoge el agua al final del filtro y compárala con el agua sucia inicial.

# El péndulo de los valientes

Atención: ¡experimento para valientes! ¿Sabes lo que es la energía? Es la capacidad de realizar alguna cosa. Si tú tienes mucha energía puedes hacer muchas cosas. Los objetos también pueden tener energía y tener la capacidad de hacer cosas, por ejemplo, moverse.

¿Te cuento un secreto de la energía? ¡Siempre se conserva! Si eres valiente, puedes confiar en la conservación de la energía para hacer este experimento.

## ¿QUÉ NECESITAS?

- Columpio
- Mochila cargada de cosas

## ¡Experimenta!

¿Te atreves a sorprender a tus amigos con esta prueba de coraje?

**1** Llena una mochila del colegio con todo el peso que puedas: libros, libretas, estuches, merienda… de todo.

**2** Pon la mochila en el asiento de un columpio, como si se fuera a columpiar, y átala muy bien al asiento para que no se caiga.

**3** Tira de la mochila levantando el columpio poco a poco, como si fuese un niño pequeño al que tuvieses que columpiar. Levántala hasta que llegue a tu nariz.

# PIENSA COMO UN CIENTÍFICO

¿Por qué la mochila no llega nunca a tocar tu nariz?

Cuando levantas la mochila hasta tu nariz le das energía. Se llama energía potencial. La has levantado y eso hará que se pueda mover si la sueltas. Al caer, va ganando velocidad y cuando está abajo del todo su velocidad será máxima, toda la energía potencial se ha convertido en energía de movimiento, de manera que conserva su energía todo el camino. Luego vuelve a subir, se para, cae de nuevo alcanzando una velocidad máxima y vuelve a subir hacia tu nariz. ¿Cuánto subirá? Subirá hasta tener la misma energía potencial que cuando la soltaste, porque, recuerda el secreto: ¡la energía se conserva! No puede subir más arriba y darte en la nariz porque no hay nada que le haya dado más energía.

## ¡Empieza la función!

¿Has ido alguna vez al circo? Allí están los columpios más altos que puedas imaginar: los trapecios. Tienen hasta 12 metros de altura ¡y los trapecistas hacen piruetas en el aire saltando de un trapecio a otro!

## Montañas rusas

Las montañas rusas de los parques de atracciones aprovechan la conservación de la energía para hacer todas esas vueltas y giros espectaculares. Primero, los vagones suben hasta el punto más alto, para que tengan mucha energía potencial.

Cuando los vagones empiezan a descender por la montaña rusa, esa energía que tenían por estar tan arriba se convierte en energía de movimiento y van muy pero que muy deprisa. Así hasta que completan todo el recorrido, te bajas ¡y te vas corriendo a ver cómo has salido en la foto!

**4**

Suelta la mochila sin empujarla. Es muy importante que no la empujes, simplemente, déjala ir. La mochila acelera y se aleja… pero luego vuelve hacia tu nariz sin llegar a tocarla. ¡No te muevas ni un pelo! ¿Te atreves?

## Para seguir investigando

Prueba a soltar la mochila desde diferentes alturas y fíjate bien a qué altura llega cuando vuelve. Verás que nunca llega más arriba de la altura a la que la dejaste ir. ¡Pero sí un poco más abajo! ¿Qué ha pasado con la energía que tenía? ¿Se ha perdido? No, recuerda el secreto, ¡siempre se conserva! Lo que ha ocurrido es que se ha intercambiado un poco con el aire, empujándolo.

# ¡Rápido, agua oxigenada!

No me digas que te has caído jugando en el parque y otra vez te has hecho sangre...

¡Rápido, un poco de agua oxigenada para desinfectar la herida! ¿Sabes por qué sale esa espumita blanca cuando te pones el agua oxigenada?

¡Averígualo con este experimento!

## ¡Experimenta!

### ¿QUÉ NECESITAS?

- Vaso transparente
- Bistec de ternera congelado
- Agua oxigenada

¿Quieres ver cómo reacciona el agua oxigenada con la sangre?

**1** Pon un bistec de ternera a descongelar en un plato. Cuando esté descongelado, verás que en el plato ha quedado un líquido rojizo. Es una mezcla de sangre y agua.

**2** Llena medio vaso con agua oxigenada del botiquín. Mucho mejor si es un vaso transparente, para poder observar bien los efectos.

**3** Escurre la sangre del bistec del plato en un vaso, para que te sea más fácil manipularla.

# PIENSA COMO UN CIENTÍFICO

**¿De dónde sale toda esa espuma?**

Si pudieses observar el agua normal con un microscopio muy potente, verías que está formada por unas partículas diminutas. Se llaman moléculas de agua. El agua oxigenada también está compuesta de moléculas. Son casi iguales que las del agua pero, además, tienen oxígeno pegado. La sangre contiene dos sustancias, llamadas catalasa y peroxidasa. Estas sustancias reaccionan cuando entran en contacto con el agua oxigenada despegando el oxígeno. Convierten el agua oxigenada en agua normal y oxígeno. Como éste es un gas, se escapa formando burbujas y espuma.

## Agua oxigenada para desinfectar

Tú necesitas el oxígeno para respirar, pero hay algunos seres vivos que se mueren si están rodeados de oxígeno. Por ejemplo: las bacterias que causan infecciones en las heridas. Por eso, cuando se hecha el agua oxigenada en una herida, la espumita blanca llena de oxígeno asfixia las bacterias y la herida queda desinfectada… ¡aunque sólo por un tiempo!

Para desinfectarla bien hay que limpiar con agua oxigenada con regularidad, o utilizar otros productos desinfectantes más eficaces.

### Botiquín de batalla

Los soldados de la Primera Guerra Mundial, una gran guerra que enfrentó a países de todo el mundo a principios del siglo pasado, fueron de los primeros en utilizar el agua oxigenada para desinfectar sus heridas. Era muy barata, fácil de fabricar, y fácil de transportar al campo de batalla.

4

**Echa la sangre en el vaso de agua oxigenada. ¡Verás que se crea un montón de espuma!**

## Para seguir investigando

Con ayuda de una persona adulta, acerca una cerilla a la espuma que sale del vaso en tu experimento. Verás que se producen unos pequeños destellos. ¡Es el oxígeno que has liberado en la reacción química y que está en el interior de las burbujas! Al quemarse rápidamente, cuando acercas la llama de la cerilla, hace esos destellos brillantes.

# Las que no pican

Te proponemos construir un "hotel" para atraer insectos solitarios no agresivos (abejas y avispas), que podrás colocar en algún parque cerca de tu casa y de este modo contribuir a aumentar la biodiversidad urbana. Estos insectos son polinizadores y resultan imprescindibles para mantener el equilibrio ecológico de la mayoría de los hábitats.

## ¿QUÉ NECESITAS?

- Ladrillo perforado
- Barrena de mano o sacacorchos
- Cañas
- Ramitas de saúco o bambú
- Tijeras de podar
- Paja
- Barro

## ¡Experimenta!

¿Quieres convertir los parques de tu ciudad en espacios llenos de vida en los que poder observar flores, insectos y pájaros y aprender a valorar su importancia?

**1**

Consigue cañas y córtalas en trozos de unos 20 cm de largo, intentando que en cada segmento de caña quede un nudo (el tabique natural entre los segmentos) muy cerca de uno de los extremos de la caña.

**2**

Haz lo mismo con cualquier otro tipo de arbusto que tengas disponible y que tenga el interior hueco, como el saúco o el bambú, procurando que presenten diferentes diámetros.

**3**

Con una barrena o un sacacorchos agujerea los segmentos de caña por la parte que ha quedado libre de nudo. Algunas plantas no tienen nudos; en estos casos tapa uno de los extremos con barro.

# PIENSA COMO UN CIENTÍFICO

¿Crees que se podría recolectar miel fabricada por este tipo de abejas?

¿Piensas que poniendo estos nidos para insectos favoreces la llegada de otros animales?

Contrariamente a lo que pensamos muchos de nosotros, las abejas que viven en colonias, como las abejas de la miel, son especies más bien escasas en comparación con el número de especies de abejas que viven de manera solitaria. Las abejas solitarias ponen los huevos en el interior del suelo, en pequeños agujeros de las rocas o en los huecos de los troncos.

Las especies de abejas o avispas solitarias ponen varios huevos en un mismo agujero, dejando al lado de cada huevo una mezcla de néctar y polen, que será la primera comida de las larvas cuando salgan del huevo pero ¡no fabrican miel!

Construyendo este nido para insectos no sociales ayudarás a enriquecer la biodiversidad de tu pueblo o ciudad ya que, al facilitarles su reproducción, aumentará su número y de rebote se incrementará el número y variedad de pájaros insectívoros.

## ¡Las abejas están en peligro!

Recientemente, han sido numerosas las noticias publicadas en torno a la desaparición de las abejas de la miel. Los científicos no sabían exactamente cuál era la causa de esta desaparición, pero parece ser que el factor más importante es la utilización de pesticidas químicos, que matan colonias enteras. También la proliferación de monocultivos (cultivos de una sola especie) hace que las abejas de la miel cada vez lo tengan más difícil para encontrar las flores que necesitan para obtener el polen.
Tal como dice la célebre frase, atribuida a Albert Einstein:
<<Cuando las abejas desaparezcan al ser humano le quedarán 4 años de vida>>.

## Para seguir investigando

La mayoría de frutos que consumimos dependen de la labor polinizadora de los insectos. Las flores lucen vistosos colores para atraer a los insectos. Esto quiere decir que los insectos reconocen los colores, cosa que no pueden hacer la mayoría de los mamíferos. Las abejas, a cambio de néctar o un poco de polen, ayudan a fecundar las plantas y permiten la formación de los frutos y las semillas. Sin embargo no todas las flores son vistosas... ¿Cómo crees que se polinizan? Averígualo buscando el significado de la palabra "anemófila".

**4** Consigue un ladrillo, de los que tienen huecos, y coloca los segmentos de caña agujereados en dos de los espacios libres del ladrillo.

**5** En otros dos espacios libres, introduce los segmentos de las otras plantas que hayas recogido (saúco, bambú, etc.).

**6** En los dos espacios libres restantes añade un poco de paja por uno de los extremos y cierra el otro extremo con barro.

# Crea un fósil

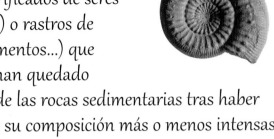

Los fósiles son restos petrificados de seres vivos (huesos, conchas...) o rastros de su actividad (pisadas, excrementos...) que vivieron en el pasado y que han quedado conservados en los estratos de las rocas sedimentarias tras haber sufrido transformaciones de su composición más o menos intensas. Los fósiles se forman cuando una planta, hueso o criatura muere y queda cubierta de muchas capas de tierra. Durante miles de años, la presión sobre el objeto y las transformaciones químicas crean una huella del mismo en la roca que lo contiene.

## ¿QUÉ NECESITAS?

- **Yeso París**
- **Agua**
- **Plastilina**
- **Vaselina**
- **Objetos de la naturaleza pequeños (conchas de mar, huesos, hojas, etc.)**
- **Vasos desechables**
- **Cucharas de plástico**
- **Papel de diario o servilletas de papel**

## ¡Experimenta!

El proceso de fosilización es muy lento y requiere que pasen millones de años. Pero sí que podemos conseguir un molde o una huella de un ser vivo con un método rápido que obtiene fósiles falsos semejantes a los verdaderos.

**1** Elige un objeto para el molde de tu fósil (hoja, concha, rama, huesos,…).

**2** Mezcla el yeso París con agua. Utiliza una parte de yeso París para cada dos partes de agua y mézclalas bien en un vaso desechable, utilizando una cuchara de plástico. Déjalo reposar mientras amasas la plastilina hasta que esté blanda y maleable.

**3** Recubre el objeto con vaselina e incrústalo en la plastilina para formar una impresión. La vaselina evita que el objeto se adhiera a la plastilina. Retira el objeto cuidadosamente y habrás creado un molde con la forma del elemento que has elegido.

# PIENSA COMO UN CIENTÍFICO

Cuando un organismo muere, sus restos se descomponen y se disgregan rápidamente por la acción de las bacterias, otros animales, el viento, la lluvia o las olas del mar. Pero si ese cadáver es enterrado en poco tiempo por los sedimentos, y se ve a salvo de la intervención de los agentes biológicos y mecánicos, aumentan mucho las posibilidades de que fosilice. El proceso de fosilización comienza a partir de la desaparición de las partes blandas y el relleno de los huecos por el sedimento que lo rodea. En ese momento empiezan a producirse una serie de transformaciones químicas que, poco a poco, van sustituyendo los compuestos orgánicos de esos restos por minerales.

## Relojes del tiempo pasado

Algunos seres vivos ya extinguidos lograron colonizar grandes extensiones de tierra y vivieron durante breves períodos de tiempo. A los fósiles formados a partir de este tipo de seres vivos se les conoce como fósil guía o fósil característico. Estos fósiles se utilizan para relacionar rocas con un determinado tiempo geológico. Además, sirven para establecer la cronología relativa entre rocas. Cuando se comparan dos rocas con fósiles, la más antigua será aquella que contenga el fósil más antiguo.

## Para seguir investigando

Puedes experimentar otro método de fosilización utilizando una masa de arena y yeso. En un vaso de plástico haz una mezcla con arena y yeso al 50%. Posteriormente, añade agua hasta que se empape, pero sin que la pasta quede demasiado líquida. Toma una concha y colócala sobre esta mezcla ejerciendo una ligera presión. Cubre la concha con más cantidad de pasta de arena y yeso y agrega otro poco de agua. Deja que el contenido del vaso se seque durante un día. Cuando esté duro rompe el vaso, dale un golpe al bloque y encontrarás el fósil y su molde.

## Lucy, el fósil más famoso del Mundo

El 24 de noviembre de 1974, un grupo de investigadores, dirigidos por el antropólogo estadounidense Donald Johanson, encontró los restos fósiles del esqueleto de un homínido hembra de aproximadamente 20 años de edad y una antigüedad de entre 3,2 y 3,5 millones de años. Después de analizar todas las características de Lucy, se llegó a la conclusión de que perteneció a la especie *Australopithecus afarensis* y que era el resto fósil de homínido más antiguo del que se tenía conocimiento hasta el momento.

**4** Rellena con yeso París la huella que dejó tu objeto. Alisa el yeso hasta el nivel de la plastilina para formar una superficie plana. Coloca tu molde de plastilina con el yeso sobre un papel de diario y déjalo secar. Deberás esperar al menos una noche, pero es preferible y más seguro esperar dos o tres días.

**5** Despega la plastilina del yeso endurecido para liberar el fósil. La forma de tu objeto debería estar recreada en el yeso con todos sus detalles intactos.

# ¡Multiplica tu fuerza!

¿Crees que no tienes fuerza suficiente como para levantar a un adulto dos palmos del suelo? Pues estás muy equivocado. Lo puedes hacer perfectamente. Sólo necesitas una palanca y ni siquiera vas a tener que construirla, ¡tienes una en el parque!

## ¡Experimenta!

¿Quieres saber cómo puedes levantar a alguien más pesado que tú sin esfuerzo?

## ¿QUÉ NECESITAS?

- Balancín
- Persona mayor que pese mucho más que tú

**1**

Busca un balancín en el parque. Uno de esos en los que os sentáis normalmente dos niños, uno en cada extremo, y lo hacéis balancear dándoos un poco de impulso.

**2**

Escoge a una persona mayor a la que quieras sorprender, y pídele que se siente en un extremo. Siéntate tú en el otro. Verás que el balancín se inclina hacia ella, porque pesa mucho más que tú.

**3**

Ahora dile que se levante del asiento y que se coloque un poco más cerca del centro. Probad diferentes posiciones hasta que sea ella la que sube y tú el que bajas al sentarte.

# PIENSA COMO UN CIENTÍFICO

¿Cómo has conseguido multiplicar tu fuerza?

Has convertido el balancín del parque en una palanca: una máquina que permite mover grandes pesos utilizando una barra y un punto donde se apoya. Normalmente, cuando utilizas el balancín el punto de apoyo está en el medio. Pero si la distancia del punto de apoyo a la persona que quieres levantar es menor que la que hay entre el punto de apoyo y tú, entonces ¡cada vez hace falta menos fuerza para levantarla!

## Palancas por todas partes

Hay palancas por todas partes. Posiblemente cuando te cortas las uñas utilizas una: el cortauñas. Pero aquí la fuerza no se utiliza para levantar pesos sino para poder cortar algo tan duro como tus uñas con muy poco esfuerzo. ¡Pídele a tus padres que te enseñen el gato del coche! No te preocupes, no se trata de un animal escondido. Es un pequeña palanca para poder levantar un coche… ¡con las manos! y cambiar una rueda si hay un pinchazo.

¡Dadme un punto de apoyo y moveré el mundo!

Arquímedes, un sabio griego que vivió hace unos 2.200 años, quedó asombrado con el poder de la palanca. Con ella se podía mover cualquier cosa, por pesada que fuera, de ahí su famosa frase…

Cuando lo hayas conseguido tu balancín ya actuará como una palanca. Podrás llegar a levantar a la otra persona sin ni siquiera sentarte. Sólo con empujar tu asiento hacia abajo con la mano.

Además de las palancas, también se utilizan otro tipo de máquinas para levantar grandes pesos haciendo poca fuerza: las poleas y los aparejos. Con ellos, basta con tirar de una cuerda con un poco de fuerza para levantar objetos muy pesados. Los puedes ver en los puertos, para izar y bajar las barcas. El truco: para levantar la barca un solo centímetro ¡hay que tirar de varios metros de cuerda!

## Para seguir investigando

Prueba a construir una palanca en tu casa con un listón de madera y algún objeto donde apoyarlo, como una pequeña caja. Coloca algo pesado en un extremo, como una pila de libros, y observa la fuerza que necesitas para levantarlos. Ahora mueve el punto de apoyo, la cajita, hacia los libros y observa cómo los levantas con más facilidad.

4

# ¡Una fiesta de cumpleaños diferente!

Este año celebras la fiesta de cumpleaños en el parque con todos tus amigos. No pueden faltar el pastel, las velas, los globos... Utilizando la química puedes aprender a inflar los globos como nunca lo habrás hecho, y a apagar las velas de manera sorprendente. ¿Quieres probarlo?

## ¿QUÉ NECESITAS?

- Botella pequeña de agua o de refresco
- Globo
- Jarra
- Vinagre blanco
- Bicarbonato sódico
- Velas (las de un pastel, por ejemplo)

## ¡Experimenta!

¿Quieres dejar a todos boquiabiertos inflando globos y apagando velas sin soplar?

**1**
Coge un globo desinflado y mete dentro tres o cuatro cucharadas de bicarbonato sódico, las que quepan.

**2**
Busca una botella pequeña de agua o de refresco vacía y rellénala con vinagre, aproximadamente hasta la mitad.

**3**
Pon el globo en la boca de la botella estirando la goma para que encaje bien con la rosca, como si fuera el tapón.

# PIENSA COMO UN CIENTÍFICO

¿Por qué se ha llenado el globo sin soplar? ¿Cómo se han apagado las velas?

Al mezclar el bicarbonato sódico con vinagre (ácido acético) has provocado una reacción química que produce un gas, el dióxido de carbono. En la botella, el dióxido de carbono producido no tiene por dónde escapar y empuja el globo hasta que llega a hincharlo.

Cuando la reacción la provocas en una jarra, grande y con la boca ancha, el dióxido de carbono sí que puede escapar, pero la mayor parte no lo hace porque es un gas más pesado que el aire y se queda flotando sobre el vinagre, dentro de la jarra. Cuando inclinas la jarra sobre la vela, estás vertiendo el dióxido de carbono sobre ella. La llama de la vela necesita oxígeno para seguir ardiendo, pero el dióxido de carbono aparta al oxígeno y ¡la vela se apaga!

## Para seguir investigando

Puedes repetir los dos experimentos con otras cosas que también producen la reacción, como el carbonato cálcico de una cáscara de huevo machacada o mármol triturado. Y con otros ácidos, como el zumo de limón en lugar del vinagre. ¡Incluso puedes inflar el globo con el dióxido de carbono que emite la levadura! Mezcla un par de cucharadas de levadura natural y un par de cucharadas de azúcar en un botellín con agua caliente. Tápalo con el globo y ponlo en un cazo con agua caliente. ¡La levadura se encargará de inflarlo emitiendo dióxido de carbono mientras se come el azúcar!

### Extintores de dióxido de carbono

¿Te has fijado en esas bombonas rojas que hay colgadas en las paredes del garaje? Son extintores y sirven para apagar el fuego en caso de incendio. Dentro tienen un gas guardado a presión. ¿Adivinas cuál es? Exactamente, ¡dióxido de carbono!

**4** Gira el globo para que todo el bicarbonato que tiene dentro caiga en el vinagre y... ¡sorpresa! ¡El globo se infla sin soplar!

**5** Ahora coge una jarra vacía y llena una tercera parte con vinagre. Echa directamente unas cucharadas de bicarbonato. Observa la reacción y espera a que baje un poco la espuma.

**6** Con la ayuda de un adulto, inclina la jarra lentamente muy cerca de las velas pero sin llegar a caer el vinagre y, como por arte de magia, ¡las velas se apagarán sin soplar y sin tocarlas!

# En busca del almidón

Paseando por un parque quizá te haya llamado la atención ver hojas de dos colores, verde y blanco. Las hojas de dos o más colores se llaman variegadas. Sabes que el color verde es debido a la clorofila, que es la responsable de fabricar azúcares gracias a la fotosíntesis, pero ¿quieres averiguar si las zonas blancas también hacen la fotosíntesis?

## ¿QUÉ NECESITAS?

- Hojas variegadas con zonas verdes y blancas
- Hoja de papel y lápices o rotuladores
- Recipiente para hervir agua
- Dos platos o bandejas pequeñas
- Alcohol de 96° calentado al baño María (¡pero mucha atención! Siempre después de apagar el fuego). Pide que te ayude un adulto.
- Tintura de yodo (la que se utiliza para desinfectar heridas)

## ¡Experimenta!

Gracias a la fotosíntesis las plantas producen azúcares que almacenan en forma de almidón. ¿Quieres saber cómo reconocer la presencia de almidón en estas hojas?

**1** Escoge una hoja que sea variegada; puede ser de hiedra, cintas, ficus, aglaonema, galatea, negundo, etc., y dibuja su perfil en un papel, señalando las zonas verdes y blancas.

**2** Coloca la hoja en un recipiente con agua hirviendo durante 4-5 min. aproximadamente.

**3** Pon la hoja hervida en un plato y cúbrela con alcohol, calentado al baño María, y mantenla así hasta que pierda el color verde.

# ⚛ PIENSA COMO UN CIENTÍFICO

¿De qué color se tiñen las zonas que antes eran verdes?

¿Este nuevo color sirve para reconocer la presencia del almidón?

Las zonas verdes, al hacer la fotosíntesis, producen almidón; en cambio las zonas blancas, al carecer de clorofila, no pueden hacerlo.

La tintura de yodo, que es de color amarillo intenso, en contacto con el almidón, y sólo con el almidón, se vuelve de un color violeta a veces tan intenso que parece negro.

## La importancia del almidón

El almidón constituye la base de la alimentación humana, ya que, la glucosa que lo forma es nuestra principal fuente de energía. El almidón es el principal ingrediente del trigo, el centeno, el arroz, el maíz, el mijo, la patata o la tapioca.

### Control de calidad

Puedes comprobar la existencia de almidón en un alimento añadiendo una gotita de tintura de yodo. Si lo compruebas con el pan o la patata verás que da positivo. También puedes detectar su presencia en alimentos donde no debería estar... como en algunos fiambres.

**4** Saca la hoja y deposítala en otro plato con agua y unas 8-10 gotas de tintura de yodo y déjala reposar durante unos minutos.

**5** Retira la hoja, observa su nuevo colorido y compáralo con el dibujo que habías realizado.

## Almidón modificado

Últimamente, generan debate las noticias relacionadas con el uso de almidón alimentario de origen transgénico, porque puede producir alergias y contaminar genéticamente los cultivos tradicionales y los ecológicos. El almidón de origen transgénico, para pasar más desapercibido, se etiqueta como almidón modificado y se obtiene introduciendo genes de otra especie en el núcleo de las células de la planta productora de almidón, por ejemplo, el maíz.

# ¿Hacemos un pozo?

El agua subterránea ha sido aprovechada por los seres humanos desde la antigüedad a través de la construcción de pozos.

Muchas personas creen que el agua de los pozos procede de grandes lagos subterráneos, en vez de los poros y fracturas naturales de las rocas. Para ayudarte a comprender lo que sucede realmente, vamos a preparar un modelo de pozo con materiales que puedes encontrar fácilmente en tu casa.

## ¿QUÉ NECESITAS?

- Bomba de un frasco de jabón líquido para manos
- Base recortada de una botella transparente de refresco de 2 l
- Pieza de un tubo estrecho de plástico con algunos agujeros perforados en su base, para evitar la obstrucción de la base de la bomba y simular el entubamiento de un pozo real
- Arena gruesa o grava
- Agua en una regadera pequeña
- Taza para recoger el agua

## ¡Experimenta!

Vamos a observar cómo se infiltra el agua a través de los poros, entre los granos de una roca sedimentaria, para acumularse en el fondo de un pozo.

**1** Toma la bomba de una botella de jabón líquido de manos o similar, introdúcela dentro del tubo perforado y ponla vertical en un recipiente de plástico (por ejemplo, la base recortada de un refresco de 2 l).

**2** Deposita grava o arena gruesa alrededor de la bomba hasta que el recipiente esté casi lleno.

**3** Imita la lluvia dejando caer agua sobre la grava o arena hasta que su nivel llegue a unos tres cuartos de su capacidad.

# ⚛ PIENSA COMO UN CIENTÍFICO

¿Hay un lago subterráneo en el modelo? ¿Dónde está, pues, el agua? Habrás podido observar que no hay ningún lago, sino que el agua se encuentra en los poros, entre los granos de arena. ¿Qué hace falta para que un pozo no se seque y se pueda mantener el suministro de agua? Para que un pozo no se seque tiene que haber un aporte de agua a la zona de extracción, ya sea por infiltración directa del agua de lluvia o por circulación subterránea del agua procedente de otras zonas de infiltración más lejanas.

## Para seguir investigando

Realiza el experimento con diferentes tipos de materiales (más gruesos, más finos o una mezcla de todos ellos) y determina cuáles son los mejores terrenos para que se acumule agua subterránea y para que ésta pueda ser extraída. Observa que a pesar de echar la misma agua, hay terrenos en los que el tubo del pozo se llena rápidamente de agua y otros en los que lo hace muy despacio. A los materiales del subsuelo que pueden almacenar agua y que permiten que ésta pueda ser extraída a la superficie fácilmente se les llama "acuíferos".

## Pozos de "oro negro"

Los pozos no sólo extraen agua. Muchos se construyen para extraer petróleo de las llamadas trampas petrolíferas, que son estructuras geológicas donde se acumula el petróleo y queda atrapado, sin posibilidad de escapar de los poros de la roca permeable subterránea que lo contiene.

Para poder extraer este petróleo, normalmente es necesario perforar pozos muy profundos que incluso alcanzan los 5.000 metros bajo la superficie de la Tierra.

## Pozos sin bomba

Los pozos artesianos, donde el agua brota superficialmente como un surtidor, son el resultado de perforar un acuífero confinado, es decir, sometido a mucha presión por los materiales que tiene por encima y por debajo. Al perforar estos terrenos, el agua sale despedida hacia la superficie sin necesidad de bombearla, al igual que lo hace el agua de una manguera cuando tiene un poro o un agujero.

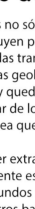

Bombea agua del pozo en una taza y observa si el nivel del agua en la grava/arena ha descendido.

**4**

## Un volcán de agua

El Parque Nacional de Yellowstone en Estados Unidos es famoso por su géiseres. Se trata de erupciones de agua debido a la evaporación repentina de las aguas que circulan por el subsuelo. Para que esto se produzca, en la zona debe haber un incremento de temperaturas más alto de lo normal a pocos metros de profundidad, tiene que haber un conducto largo y estrecho entre la superficie y la cavidad inundada a una cierta profundidad y, además, esta cavidad debe ser rellenada de agua constantemente debido, por ejemplo, a una red subterránea de canales de agua.

# ¿Me pasas la pelota?

S eguro que más de una vez te has subido a uno de esos carruseles giratorios del parque en el que te das impulso y vas girando y girando sin parar, hasta que acabas absolutamente mareado.

Pero, ¿te has subido alguna vez con una pelota? Prueba y ¡sorpréndete!

## ¡Experimenta!

### ¿QUÉ NECESITAS?

- Disco giratorio del parque
- Dos amigos
- Pelota

¿Quieres ver movimientos que no son lo que parecen?

**1** Siéntate en un disco giratorio del parque, con una pelota, y pide a un amigo que se siente frente a ti. Pide a otro amigo que dé impulso al disco y mire desde fuera todo lo que pasa.

**2** Lanza la pelota al amigo que tienes frente a ti haciéndola rodar por el suelo del disco giratorio. ¡Apunta bien! ¿Le ha llegado?

**3** Inténtalo varias veces con diferentes fuerzas y ángulos , para intentar que la pelota le llegue a tu amigo, y fíjate bien en el movimiento de la pelota. ¿Va en línea recta o se curva?

# PIENSA COMO UN CIENTÍFICO

**¿La pelota va recta o sigue una curva?**

Tú y el amigo al que le lanzabas la pelota estaréis de acuerdo: la pelota "se tuerce" al lanzarla. En lugar de seguir un camino recto hasta llegar a él, cambia de rumbo y se dirige hacia fuera del disco giratorio. Quizás en algún momento has logrado que llegase a él, tirándola "con efecto", apuntando hacia un lado, para que al hacer la curva acabase llegándole.

Pero al bajar del disco no hay manera de que os pongáis de acuerdo. El amigo que se quedó fuera está convencido: la pelota seguía una línea recta y se salía del disco. Hasta que al final, las has lanzado un poco hacia un lado, pero también siguiendo una línea recta ha llegado hasta tu amigo.

¡No discutáis más! Los tres tenéis razón. Lo que ocurre es que ¡lo que ves depende de cómo te estás moviendo!

## Para seguir investigando

Con suficiente práctica, verás que es posible lanzar la pelota hasta que te llegue de vuelta a ti siguiendo un círculo. Pero lo que para ti es un círculo, para el niño que lo observa desde fuera continúa siendo ¡una línea recta!

**4**

Bájate del disco y pregúntale al amigo que se ha quedado fuera observando. ¿Qué ha visto él?¿La pelota iba recta o se torcía?

## Coriolis y los cañonazos

En la Primera Guerra Mundial, unos soldados lanzaban cañonazos desde su barco para alcanzar al enemigo, cerca de unas islas llamadas Maldivas. Pero fallaron todos los disparos porque no tuvieron en cuenta el efecto de la fuerza de Coriolis. ¡Las balas de cañón se desviaban todas hacia un lado y caían al agua!

## Ciclones

Este movimiento extraño que tú has visto en la pelota fue descubierto en 1836 por un científico francés llamado Coriolis.

Así que a la fuerza que parece torcer la trayectoria de la pelota se la llama fuerza de Coriolis. ¿Te crees que al bajar del disco del parque ya no verás esos movimientos tan raros? ¡Te equivocas! Para eso tendrías que bajarte del planeta Tierra, porque la Tierra gira continuamente. Por eso, las grandes corrientes de aire de la atmósfera se desvían hacia un lado, como tu pelota, y forman esos ciclones en forma de remolino que se ven en los mapas del tiempo.

# En busca de la luz

Las plantas no ven... pero "sienten" la luz y reconocen su presencia, ¡y no sabes hasta qué punto! En este experimento, que podrás modificar a tu antojo, te proponemos cómo comprobar la habilidad que tienen las plantas para contorsionarse y desplazarse hasta alcanzar la tan apreciada luz.

## ¿QUÉ NECESITAS?

- Caja de zapatos o similar
- Dos tiras de cartón de las mismas dimensiones que el espacio interior de la caja
- Cinta adhesiva para fijar las tiras de cartón
- Tijeras o cúter para hacer los agujeros
- Vaso pequeño con una gruesa capa de algodón empapado en agua
- Dos o tres semillas (pueden ser alubias o garbanzos)

## ¡Experimenta!

¿Quieres actuar como un ingeniero-biólogo y diseñar una caja-laberinto para comprobar la capacidad de una planta en crecimiento para buscar la luz?

**1**

Consigue una caja de zapatos y coloca una o dos tiras de cartón que dividan el espacio interior en dos o tres recintos similares.

**2**

Previamente debes hacer un agujero circular de unos 3-4 cm de diámetro en cada tira pero no alineados. Diseña el laberinto a tu gusto.

**3**

Haz una abertura del mismo diámetro en la cara superior de la caja, que debes colocar en posición vertical. Esta ventana de luz no debe estar alineada con el agujero de la tira de cartón del interior de la caja.

# PIENSA COMO UN CIENTÍFICO

¿Por qué hay que distribuir los agujeros de forma no alineada?

¿Cuál es el mecanismo que permite a las plantas crecer en busca de la luz?

Si los agujeros estuvieran alineados con el orificio superior, que es por donde entra la luz, no comprobaríamos que las plantas crecen retorciéndose en busca de la misma.

El hecho de que las plantas se inclinen hacia la luz es debido a que la luz reduce el crecimiento de las células de los vegetales. En consecuencia, la parte no iluminada de la planta crece más que la iluminada y dirige el vegetal hacia la luz (fototropismo positivo).

## Para seguir investigando

Otra consecuencia de este experimento consiste en comprobar que la falta o escasez de luz determina que las plantas sean mucho más altas.

Puedes comprobarlo colocando otro vaso con semillas como el anterior pero a plena luz junto a la caja de zapatos. ¡Compara los resultados!

## Cultivando espárragos

Los espárragos blancos son más grandes que los demás por que se cultivan cubriéndolos totalmente de tierra; así, al no darles la luz, son más altos y gruesos pero no producen clorofila.

**4**

En la base de la caja coloca un vaso pequeño con algodón empapado de agua y, encima del mismo, dos o tres semillas. Ajusta bien la tapa.

**5**

Cierra la caja con su tapa y átala con un cordel o cinta adhesiva. Coloca la caja de pie, en un lugar bien iluminado, y espera unos días.

## ¡Gigantescos!

En la primavera de 2009 unos recolectores de espárragos silvestres encontraron un espárrago anormalmente largo, pues medía 4,5 metros de longitud.

Sin duda, parte de su extraordinario tamaño se debía a factores genéticos pero la circunstancia de crecer en un ambiente con poca luz reforzó mucho el efecto.

# La montaña se mueve

En muchas ocasiones, de forma natural, se producen desplazamientos de masas de suelo causados por exceso de agua en el terreno y por efecto de la fuerza de gravedad. Normalmente el detonante de estos procesos son las lluvias torrenciales, ya que aumentan las fuerzas desestabilizadoras y reducen la resistencia del suelo al deslizamiento. En este experimento construirás un modelo que te ayudará a entender por qué se producen estos movimientos de tierra.

## ¡Experimenta!

### ¿QUÉ NECESITAS?

- Recipiente transparente (por ejemplo, una pecera vacía)
- Arcilla de modelar
- Arena
- Transportador de ángulos
- Cuchara
- Jarra
- Pulverizador de agua

¿Qué le ocurrirá a la arena después de echar agua?
¿Se moverá?

**1** Haz una pendiente con arcilla contra una de las paredes del recipiente.

**2** Echa arena encima de la arcilla hasta formar una capa. Observarás que la arena fina y seca se deslizará por la pendiente.

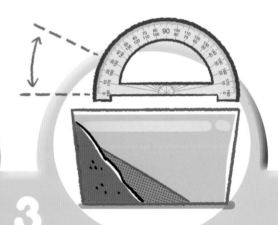

**3** Mide el ángulo de la pendiente de la capa de arena con el transportador de ángulos.

# PIENSA COMO UN CIENTÍFICO

¿Qué ha ocurrido al cabo de un tiempo de echar agua sobre la arena? ¿Ha cambiado la pendiente de la capa de arena? ¿Por qué? Habrás observado que, al ir agregando agua, la capa de arena se va desplazando y va adquiriendo una pendiente más suave. En este experimento acabas de demostrar que los deslizamientos de tierra están condicionados por el material del sustrato (el material que hay en la base). Cuando llueve sobre un material poroso, como la arena, que yace sobre un material impermeable, como la arcilla, se empapa de agua porque ésta no puede infiltrarse y comienza a deslizarse.

## Para seguir investigando

Realiza el mismo experimento utilizando diferentes materiales tanto para la base como para el material superficial. Prueba a hacer la base de arena y poner la capa superior de arcilla o de grava , o la base de grava y encima arena o arcilla, o la base de arcilla y encima grava. ¿Cuál será más estable? ¿Cuál aguantará más cantidad de agua sin desestabilizarse?

## ¿Realmente se mueve?

En muchas ocasiones los movimientos del suelo son muy lentos, de manera que son difíciles de apreciar a no ser que te fijes en algunos detalles. En las laderas estables, los árboles y postes se encuentran en posición vertical. Por el contrario, cuando hay cierta inestabilidad, éstos tienden a inclinarse en el sentido en que se está moviendo la ladera.

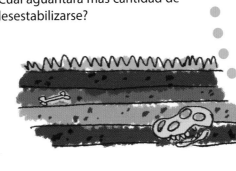

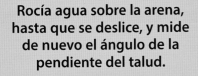

Rocía agua sobre la arena, hasta que se deslice, y mide de nuevo el ángulo de la pendiente del talud.

## Pescando tierra

Seguramente has visto en muchas carreteras o en las laderas de zonas habitadas que algunos taludes están protegidos por unas redes metálicas ancladas al suelo. Se trata de mallas de protección, barreras contra pequeños deslizamientos de tierra y desprendimientos de rocas que se instalan para evitar que caigan sobre las vías de comunicación, personas o casas.

# Créditos

Proyecto y realización
**Parramón Paidotribo**

Dirección editorial
**María Fernanda Canal**

Edición
**Cristina Vilella**

Texto
**Eduardo Banqueri, Josep Mª Barres,
Laia Barres y Octavi López Coronado**

Ilustraciones
**Roger Zanni**

Fotografías
**Agefotostock, Album, IESA, Fotolia,
Heikka Valja, Miguel Rodríguez
Esteban, NASA, Neofungi,
Thinkstock, The Charles Machine
Works, Shutterstock**

Diseño gráfico
**Alehop**

Producción
**Sagrafic, S.L.**

Preimpresión
**iScriptat**

**Ciencia cotidiana**
ISBN: 978-84-342-1017-2
IBIC: YNT

Derechos exclusivos de edición
para todo el mundo.

Primera edición
© 2016 Parramón Paidotribo
Les Guixeres. C/. de la Energía, 19-21
08915 Badalona (España)
Tel. 93 323 33 11.
Fax 93 453 50 33
Impreso en China
parramon@paidotribo.com
www. parramon.com